L'ARCHIPEL
D'UNE AUTRE VIE

ANDREÏ MAKINE
de l'Académie française

L'ARCHIPEL
D'UNE AUTRE VIE

roman

ÉDITIONS DU SEUIL
25, bd Romain-Rolland, Paris XIVᵉ

ISBN 978-2-02-132917-9

© Éditions du Seuil, août 2016,
à l'exception de la langue russe

www.seuil.com

Pour Anne Granval
Pour le lieutenant Schreiber

I

À cet instant de ma jeunesse, le verbe « vivre » a changé de sens. Il exprimait désormais le destin de ceux qui avaient réussi à atteindre la mer des Chantars. Pour toutes les autres manières d'apparaître ici-bas, « exister » allait me suffire.

Je m'éloignais du rivage quand un hélicoptère rompit la somnolence brumeuse du matin. Le seul vol de la semaine pour la petite localité de Tougour, ce coin perdu de l'Extrême-Orient. Les passagers descendirent, chargés de valises, de cabas, de rouleaux de tapis… Un bref chaos se forma entre ceux qui venaient de débarquer et ceux qui, groupés sur le lieu d'atterrissage, s'apprêtaient à monter dans l'appareil. Une femme racontait sa sortie au cinéma (un événement !), un homme calait dans son side-car un lit pliant, une nouvelle venue, frissonnant sous ses vêtements légers, se renseignait auprès des autochtones…

Je décidai d'attendre que tout le monde soit parti avant de me remettre en marche. Et c'est alors que j'aperçus cet arrivant-là.

Assis au pied d'un rocher, il vérifiait son paquetage dont les sangles fixaient des skis de chasseur, très courts et larges, recouverts de kamouss – la peau dure des pattes de renne. Ici, la neige pouvait happer le voyageur même en été. Voyageur... Je devinais qu'il ne resterait pas au village ni ne poursuivrait le vol. Son but était ailleurs.

Cette pensée m'unit à lui, tel un secret partagé. Nous voyions le même dessin cendré des monts, le soleil dans des éclats de coquillages et, sous un amas d'algues, ce bloc de glace qui bravait la tiédeur de juillet... Je me sentis très proche de cet inconnu. Pourtant, son mystère résista – une identité plus complexe que celle d'un simple trappeur de la taïga.

L'hélicoptère vrombit, souffla une volée d'aiguilles de pin, s'envola, devenant vite une petite encoche au-dessus de la mer.

L'homme se leva, endossa son fardeau, dansota pour mieux l'équilibrer. Sans remarquer mon guet, au creux d'une dune...

Se détournant de la bande côtière, si utile dans ces contrées sans routes, il rejoignit la forêt, cherchant à se rendre tout de suite invisible. Je suivis le sillage de ses pas – le craquement d'une branche, une tige couchée. Il laissait peu de traces.

Mon arrivée à Tougour, une semaine auparavant, semblait confirmer le jugement que les « soviétologues » portaient, à l'époque, sur la Russie et son communisme vieillissant qui coïncida avec notre jeunesse.

À la fin de l'année scolaire, notre classe fut coupée en deux et l'annonce tomba : le premier groupe recevrait une formation de grutiers, le second – celle de géodésistes… Âgés de quatorze ans, nous manifestions des aptitudes inégales et, malgré le nivellement de la vie en orphelinat, on trouvait parmi nous des surdoués et des cancres, des stakhanovistes teigneux et des fainéants convaincus. Un oukase du Parti aplanit ces différences. De la Sibérie centrale, on nous expédia à trois mille kilomètres à l'est, en Extrême-Orient, où un chantier avait besoin d'apprentis grutiers et de géodésistes débutants.

« Embrigadement totalitaire, glosaient les soviétologues. La dictature qui nie l'individualité humaine. » Oui, sans doute… Sauf que nous le vivions non pas en théorie, mais dans la chair de nos âmes, pleines d'insouciance et de chagrins, de soif amoureuse et d'espoirs blessés. Notre départ se confondit avec l'éblouissement du ciel et les senteurs de la taïga renaissante. Rétifs aux doctrines, nous n'avions qu'une envie : nous enivrer de ce nouveau printemps, le meilleur de notre vie, pensions-nous.

L'apprentissage débuta à Nikolaïevsk, sur la rive gauche de l'Amour, « à une heure du Pacifique », nous informa-t-on avec une pointe de fierté. La chance de voir l'océan ne se présenta pas, nous restions sur les berges de l'estuaire.

De la géodésie, j'avais la vision d'un couple d'hommes, l'un tenant une barre graduée, l'autre collant son œil à un appareil d'optique fixé sur un trépied. Le stage enrichit peu cette idée sommaire. Négligeant la précision du vocabulaire, nos maîtres désignaient leurs outils comme « truc », « bidule » ou, plus emphatiquement, « toutes ces conneries ». Ce flou didactique nous laissa le temps d'explorer le port, humant son air marin – si doux, comparé aux rudes effluves continentaux de la Sibérie.

Après le travail, il nous arrivait de voir nos formateurs dans une buvette à ciel ouvert, face aux docks. Un soir, nous les y surprîmes en galante compagnie : une femme à la chevelure d'un blond luminescent embellissait leur binôme que nous croyions indéfectible. Or, visiblement, elle venait de le briser, car le Grand et le Petit (selon leurs surnoms) s'affrontaient. Deux bouteilles vides traînaient par terre, à côté des

«bidules» et du trépied... C'était une joute haute-
ment professionnelle : l'un comme l'autre vantaient
leurs exploits géodésiques. À les entendre, chacun
aurait accompli des «levés topographiques» partout
en Russie. Des sites défilaient, de plus en plus impro-
bables : d'un palais des sports à une base navale, d'un
stade olympique à un stand de lancement de fusées...
L'invitée sirotait son vin, avec un sourire énigmatique.
Et nous, enfin, nous apprenions la terminologie !
Dans leur mâle émulation, nos pédagogues mention-
naient le goniomètre, le tachéomètre, le théodolite...

Il était difficile pour une femme de les départager :
le Grand avait de la prestance, tandis que le Petit portait une veste de cuir, ce qui assurait à un Russe d'alors
un réel statut mondain.

– Moi, je vais travailler avec les Japonais, lâcha le
Grand. Un levé, pour un débarcadère...

L'impudent mensonge d'une telle embauche enra-
gea le Petit :

– Toi ? Avec les Japonais ? Mais tu ne sais même
pas par quel bout tenir un graphomètre !

L'outrage était monstrueux. Le Grand se leva,
empoigna son rival, le frappa. Celui-ci évita la chute
mais, glissant sur une bouteille, exécuta un assez long
jerk, involontairement lubrique. Les clients s'esclaf-
fèrent. La blonde dulcinée émit un ricanement. Le
Petit s'empourpra et la situation dérapa. Il saisit le

trépied muni de piquets en acier et, avec un cri rauque, le planta dans la poitrine du Grand. Le craquement des côtes fracassées fut suivi d'un «Ah!» du public, puis d'un silence. Le Grand repoussa l'arme tombée à ses pieds et, le visage grave, déboutonna son treillis ouatiné, y fourra la main. Nous nous levâmes pour mieux voir les débris d'os et de chair qu'il allait en extraire… Sa main réapparut : elle tenait un calepin dont la couverture en moleskine portait trois impacts profonds. Le carnet où il notait nos résultats… Les spectateurs se sentirent vaguement déçus. Alors, le Grand souleva le trépied, écarta ses supports et, soudain, d'un geste précis, serra dans leur angle le cou de son ennemi. Le Petit s'affala, tenta de défaire l'étau, se débattit, mollit. Un râle expulsa sa langue brunie par le vin. Les hommes bondirent en renversant leurs chaises, les femmes vagirent. Et la dame de la discorde se sauva, nous laissant un nuage sucré de parfum et l'éclat fulgurant d'une cuisse dans la fente de sa jupe de velours… Déjà les lourdes paluches des dockers relâchaient le garrot. À côté de ces hommes aux gros muscles noueux et tatoués, le Grand avait l'air d'un intellectuel raffiné.

Nous passâmes la soirée à rejouer le pugilat. Rires, torgnoles, mots lestes visant la blonde séductrice… Notre cirque trahissait pourtant un malaise. Non que ce désastre pédagogique, à la buvette, eût pu nous traumatiser – nous étions habitués aux émois plus âpres. Mais ce duel burlesque cachait un double-fond...

La nuit, mon voisin de dortoir (nous logions dans une ancienne fabrique de filets de pêche), un gars chétif, peu apprécié des autres, poussa un sanglot, la tête enfouie dans l'oreiller. Ses larmes, contraires à nos durs codes d'honneur, pouvaient lui attirer notre mépris. Pourtant, personne ne broncha. Nous savions que son père était mort dans un camp, pas si éloigné du lieu de notre stage. À la différence de nous qui affabulions, pour nos parents disparus, des destins de héros, ce garçon disait la vérité : le permafrost empêchant d'enterrer les prisonniers morts en hiver, on les stockait, telles des bûches gelées, jusqu'au redoux... Son père avait attendu ainsi sa sépulture printanière. «Il restait parmi les vivants, on pouvait venir à lui, le réveiller», devait se dire notre camarade dans son enfance... Cette nuit-là, ses larmes avaient pour cause le combat bouffon de nos maîtres – une vie stupide, théâtrale, aux désirs inlassablement renouvelés, et qui ignorait le prisonnier endormi sous un linceul de glace...

La mécanique du monde! Se disputant une femme, les hommes étalaient leurs atouts : taille d'athlète, statut professionnel, billets de banque à l'effigie de

Lénine ou, le cas échéant, ce trépied écrasant la pomme d'Adam d'un rival.

Je venais de comprendre cette machinerie fruste de l'existence. Nos maîtres l'avaient dévoilée à leur modeste niveau, celui de pauvres bougres d'arpenteurs prêts à tout pour coucher avec une blonde oxygénée. Mais le reste de l'humanité? Eh oui, le même jeu de vainqueurs et de vaincus. Le Grand et le Petit n'avaient que leur trépied comme arme. Les autres disposaient de canons, de richesses, de pouvoir... De camps!

Tout gravitait donc autour d'une belle cuisse féminine – universelle comédie de rivalités, de séductions, de haines muettes et de mensonges volubiles. Et cet agréable moment de détente, dans une buvette, au bord de l'Amour... Et cet enfant qui pleurait son père dont il n'avait pas su rompre la glaciale léthargie.

Ce fut cela, ma vraie leçon de géodésie.

Le lendemain, je perdais l'envie de vaincre. Les plus combatifs de notre groupe gagnèrent le privilège de poursuivre leur stage à Nikolaïevsk, d'autres furent dispersés dans des localités environnantes. Je me trouvai seul à devoir aller à Tougour, la destination la moins prisée de la liste.

Nos formateurs ne montraient aucune hostilité réciproque. Sans doute avaient-ils fait la paix des braves autour de leur dernière bouteille... Le Grand cita nos noms de famille d'après son carnet troué et, ignorant la cocasserie de la situation, nous conseilla d'enduire les piquets du trépied avec de l'antirouille.

Tougour, à deux heures d'hélicoptère, me faisait imaginer un vaste littoral vide, s'ouvrant sur un au-delà grandiose – la houle infinie du Pacifique. À notre âge, nous rêvions tous aux fabuleux Mirovia et Panthalassa.

À l'arrivée, personne n'étant venu me chercher, je me précipitai sur le rivage. Le jour se levait et, n'en croyant pas mes yeux, je courus entre les dunes, à la recherche de la démesure espérée, du vertige océanique...

En réalité, Tougour se trouvait dans le cul-de-sac d'un golfe serré entre des reliefs montueux et débouchant, je l'apprendrais plus tard, sur une modeste mer intérieure qu'un petit archipel séparait de la mer d'Okhotsk, elle aussi à l'écart du Pacifique.

Ce qui s'offrait à moi était très beau : grèves de sable, embouchures de plusieurs rivières, miroirs des étangs... Mais aucun Mirovia à l'horizon !

Le village, d'une centaine d'habitants, pouvait bien se passer d'un stagiaire. L'équipe de géodésistes à laquelle je devais être rattaché avait été retenue à Nikolaïevsk, la ville que je venais de quitter... On m'installa dans une bicoque à moitié occupée par une taillanderie, m'indiqua une cantine de pêcheurs, et l'on m'oublia.

Ma première exploration me mena vers le cap du Tournant, d'où je comptais pouvoir enfin admirer l'océan, le vrai. Mais, une fois sur place, je vis le cap suivant – et la mer toujours emprisonnée dans des baies, balisée de javeaux... Le fini dissimulant l'infini.

Une semaine après mon arrivée, je voulus me défaire de ce trompe-l'œil maritime et revoir la taïga, l'univers où depuis mon enfance je me sentais chez moi. Dans mon sac, j'emportais du poisson séché, un briquet à l'ancienne dont la mèche d'amadou ne craignait pas le vent, une hachette empruntée au taillandier. Il m'avait aussi prêté une vieille veste molletonnée tachée de cambouis.

Au moment où je quittais la côte, le bruit d'un hélicoptère perça le silence. Une minute plus tard, je vis ses passagers s'affairer au milieu des bagages. Et près d'un rocher, ce voyageur qui attendait de pouvoir s'en aller sans être vu.

Rien ne le distinguait des habitants de Tougour, à part peut-être sa capuche, en peau lisse. Son visage hâlé était celui d'un nomade mais ici, entre mer et forêt, personne n'était casanier.

Il semblait pourtant étranger à la mécanique humaine que j'avais comprise grâce à la rixe de nos maîtres : jeu de désirs, compétition de vanités, comédie de postures – tout ce qu'on croit être la vie. Son étrangeté faisait pressentir une densité insolite des heures, l'effacement des noms donnés aux êtres et aux objets…

Un tel manque de mots m'angoissa, je me hâtai d'identifier cet homme. Un braconnier ? Ou bien un des chercheurs d'or clandestins qu'on croisait parfois sur les pistes de la taïga ? Ensauvagés par la solitude, flairant un danger dans le moindre soupçon de présence humaine, ils traquaient leur cher mirage : amasser un magot de pépites, quitter cet enfer de glace, s'installer au bord de la mer Noire, aimer toutes ces femmes bronzées, ces succulents succubes qui les hantaient pendant tant d'années…

L'hélicoptère hacha la brume, décolla, disparut. Les arrivants, encombrés de bagages, se dirigèrent vers les isbas de Tougour. Une bribe de leur conversation me parvint : une jeune femme, la nouvelle venue, originaire d'Odessa, leur racontait son voyage. L'homme assis sous le rocher devait penser comme moi : « Odessa, la mer Noire… À dix mille kilomètres d'ici… »

Il se leva, se chargea de son barda, se mit en marche. Et moi, sur ses traces, je sentais qu'il ne m'était plus tout à fait inconnu.

« Marcher » dans la taïga est une façon de parler. En réalité, on doit s'y mouvoir avec la souplesse d'un nageur. Celui qui voudrait foncer, casser, forcer un passage s'épuise vite, trahit sa présence et finit par haïr ces vagues de branches, de brande, de broussailles qui déferlent sur lui.

L'homme à capuche le savait. Il se courbait pour franchir les fourrés de jeunes épicéas, là où un autre se serait mis à repousser la ramure emmêlée, perdant trois fois plus de temps… Je le voyais lancer des enjambements chaloupés (je pensai à une équerre d'arpenteur), seul moyen de traverser un stlanik de cèdres, ce « bois étalé », en fait, des pins nains, un fouillis inextricable, piégeant chaque pas. Un lieu dangereux – les ours apprécient les pignons de ces arbres nabots.

Devant une rivière, il évaluait d'un coup d'œil le niveau d'eau, évitait la partie laiteuse du courant (un fond argileux, donc glissant), faisant un détour vers un gué de galets…

Je remarquais ces détails avec joie – mon expérience restait valable dans ces forêts de l'Extrême-Orient.

Quelques plantes insolites, des reliefs différemment modelés, mais les mêmes traces d'animaux, les mêmes signes avertissant du changement des sols… Le même dialecte forestier, nuancé par la proximité du littoral. Une fois, cette nuance m'effraya : une araignée géante, aux pattes longues comme mon bras, surgit de la mousse ! M'approchant, je découvris la dépouille d'un gros crabe de la mer d'Okhotsk, le festin d'un quelconque balbuzard.

La fatigue rythmait les lentes enfilades des ciels et des feuillages qui se déployaient devant moi – devant nous, car nos pas s'accordaient, je devinais le choix du vagabond face aux montées et aussi son plaisir d'enlever sa charge, d'entrer dans un courant, de se laver le visage et le cou couverts de pollen de pins.

Ce lien entre nos solitudes me surprit au moment où il faisait halte. Il n'alluma pas de feu, mangea, comme moi, du poisson séché, but de l'eau de la rivière.

Je ressentis du remords de l'épier ainsi, de violer un moment secret de sa vie. Fallait-il venir à lui ? Demander pardon pour cette traque ? Mon aventurisme juvénile se rebiffa : non, j'allais le poursuivre, découvrir sa cache, mettre la main sur son or ! Pour m'offrir… Mais quoi, au juste ? Je me rappelai nos directeurs de stage, le Grand et le Petit : ils incarnaient l'idée d'une réussite certaine. Une Toyota d'occasion qu'on pouvait acquérir, dans un port, au prix de quelques années de labeur, une bouteille de porto azerbaïdjanais à déguster avec une blonde habillée de velours…

L'inconnu termina son repas et, immobile, regardait le courant qui brassait de longues cascades de soleil… En vérité, je ne désirais que cela : être à sa place, vivre ce silence, comprendre sans paroles le sens de mon attente ici, à cette heure-là.

L'homme se redressa, attrapa son sac et s'attarda, comme s'il avait voulu appuyer ce que je venais de comprendre : le bonheur absolu de vivre cet instant.

Au milieu de l'après-midi, une bruine assombrit les sous-bois. Longeant une combe marécageuse, je m'avouai que, sans mon « guide », j'aurais eu du mal à y trouver un passage.

À la sortie de cette tourbière, je le perdis de vue. Aucun crissement, aucun rameau qui, ondulant, eût signalé son avancée. Je dus rebrousser chemin pour retracer ses pas, des empreintes très profondes à cause de son fardeau.

Cette perte d'orientation me rendit anxieux. Surtout que nous traversions un stlanik de pins nains. Souvenir d'enfance : une tranquille cueillette dans une forêt semblable et, d'un coup, la vision d'un tertre brun qui se redresse… Une ourse ! Fouettement de branches, notre vue mosaïquée par la peur, cabrioles de notre fuite – d'instinct, nous imitons les chevreuils qui savent se dépêtrer de la nasse du stlanik. Notre chien accourt (où était ton flair, idiot?), son aboiement bloque l'ourse, plus soucieuse de protéger ses petits que de croquer les fuyards.

La capuche de l'homme réapparut, trop proche, et semblait ne plus avancer. Je m'arrêtai, pour préserver la distance. Après tout, il était peut-être en train de se soulager.

Soudain, l'air sembla s'épaissir d'une menace. Une bête m'épiait! Derrière ces mélèzes? Ou là-bas, dans la broussaille? J'étais déjà adossé à un tronc, la hachette prête à frapper. Un ours aurait grogné, fait du bruit... Des loups? Ils attaquent plutôt en terrain découvert. Et puis, trop bien nourris, en juillet. Ces brefs rappels ne m'empêchaient pas de scruter tous les recoins, de tendre l'oreille au plus fuyant des crissements. Non, rien de suspect. Pourtant, je me savais guetté.

L'air s'allégea, diluant le danger. Au loin, l'homme à capuche avançait sur une pente. Dans un aveu de faiblesse, je pensai qu'il m'aurait sûrement défendu si l'attaque avait eu lieu.

À l'approche du soir, le ciel s'éclaira, versant une dorure translucide sur la taïga noircie de crachin. Je me disais que l'inconnu arriverait bientôt à son abri ou s'aménagerait un bivouac...

Il monta sur une petite colline couronnée d'un amas de rocs et, s'arrêtant, contempla au loin ce que, d'en bas, je ne pouvais pas voir. Sur son visage, je crus discerner un sourire. Le soleil rasant donnait à sa silhouette une intensité irréelle. Il était seul dans l'univers...

Je m'apprêtai à le suivre sur l'autre versant de la colline, mais il revint sur ses pas, dans la forêt, passant tout près de moi, sans me remarquer. Il devait être encore ébloui par la luminosité qui régnait sur le sommet.

Descendant vers la rivière que nous longions depuis des heures, il décida de camper. Pour en être sûr, j'attendis qu'il fasse un feu. Les flammes jaillirent, je devins invisible – il ne verrait plus que leur danse dans le noir.

Je m'éloignai, suivant la boucle que formait le courant, ramassai du bois flotté, séché par le soleil, allumai deux feux : l'un brûlerait toute la nuit, l'autre, plus petit, chaufferait le sol. Ses braises, bien piétinées, recouvertes de sable, puis de rameaux de sapins, garderaient longtemps la chaleur... Je m'étendis sur cette couche chaude et m'endormis rapidement.

Il fallut bientôt rajouter du bois. Le sommeil me reprit, réglé sur la durée de la flambée.

Quelque temps après, je m'éveillai et constatai que mon feu brûlait toujours, bien vif. Trop vif ! Me redressant sur un coude, je consultai ma montre : minuit passé. Donc, depuis le précédent réveil, j'avais dormi plus d'une heure. Et les flammes ne s'étaient pas éteintes. Impossible ! Je tentai de réfléchir…

Soudain, derrière moi, je perçus une autre source de lumière.

Je pivotai et ce que je vis me figea. À une dizaine de mètres de mon campement, un feu, plus discret, rougeoyait sans éclat. Un homme assis sur un tronc ensablé me tournait le dos. Sa tête coiffée d'une capuche se penchait vers les braises. Il restait immobile. Endormi ?

Une minute s'étira, en apnée. Je savais par où fuir – un bond vers la rive, puis la course le long du boqueteau d'aulnes et, en trois foulées, le plongeon dans la profondeur noire de la taïga.

Empoignant mon sac, je tendis mon corps comme un arc, repoussai le sol, m'élançai…

Et quatre pas plus loin, je tombai, mon pied droit arrêté net. Les flammes donnaient assez de clarté pour voir autour de ma cheville un nœud coulant. L'autre bout de la corde était attaché au tronc d'arbre sur lequel était assis l'inconnu.

Lentement, avec un soupir entre bâillement et dépit, l'homme se leva et, venant vers mon feu, en retira un gros tison.

Il se dressa au-dessus de moi et je vis, à sa ceinture, un long poignard dans un fourreau de cuir. Sans un mot, il approcha sa torche de ma tête. Croyant qu'il allait me brûler les yeux, je plissai fortement les paupières. Il toussota, l'air de se dire : c'est bien ce que je pensais.

Revenant vers son feu, il y jeta le tison, s'assit, se détourna de moi. Je n'osais pas me relever, trop soucieux de prédire la suite. Me laisserait-il partir, acceptant le risque d'être dénoncé ? Mais qu'avait-il à cacher ? Son or ? Une évasion ? Un meurtre ? Les récits de notre jeunesse étaient peuplés de ces hors-la-loi qui, surpris sur leur chemin secret, n'hésitaient pas à se défaire d'un curieux... Je repliai ma jambe et me mis à lutter contre le nœud.

L'homme poussa un bref sifflement, attrapa la corde et la tira. Sa voix était calme :

— Enlève-moi ça et viens ici !

Je me hâtai d'obéir, triturai nerveusement le chanvre, me libérai, m'approchai de lui. D'un hochement de tête, il m'indiqua un fagot de l'autre côté de son feu.

— Assieds-toi... Raconte !

Au bout de cinq minutes, je crus avoir tout dit : notre départ de l'orphelinat, le stage, la bagarre des géodésistes, Tougour... J'avais même confessé mon intention de lui voler son or.

Il bougonna :

– Joli programme, jeune homme. Mais bon... On ne coupe pas une tête repentante.

Posant sur les braises une théière couverte de suie, il ajouta :

– Ça, c'est de l'or, tu en bois une tasse et tu es bon pour cinquante bornes de marche... Quant aux malins qui secouent leur batée en douce, sache qu'ils protègent bien leurs pépites. Devant la cache, ils mettent un piège à ours. Tu saisis le sac et, hop, ton pied est ferré, tu n'as plus qu'à attendre une bête qui viendra te dévorer.

Respectant le cérémonial du thé, il s'interrompit, même si nous buvions une tisane d'églantine et de plantules de conifères… Je l'observai à la dérobée : traits simples, ouverts, large cicatrice au cou et ces taches sur une joue, trace d'anciennes engelures, sans doute. À mon âge, je le jugeai « vieux », c'est-à-dire frôlant la quarantaine. Son accoutumance à la taïga n'expliquait pas son étrangeté. D'autres signes la trahissaient mieux : une mimique trop subtile pour la gamme d'émotions qu'avait à exprimer un homme de sa trempe, la rudesse verbale modulée par une intonation songeuse, mélancolique…

J'y pensai, le regardant aller puiser de l'eau. Son absence créa un vide troublant. J'aurais pu facilement m'enfuir, oui. Pourtant, rester avec lui changeait le sens de ce que je savais de la vie.

Il revint, plaça sa théière au milieu des charbons. Son regard se posa sur moi comme s'il ne m'avait pas reconnu. À l'évidence, mon cas était réglé : le lendemain, il suivrait sa route et moi, tel un enfant pris en faute mais pardonné, je rentrerais à Tougour… Devant mon air vexé, il força un ton de camaraderie :

– Et l'école, ça va ? Tu me disais que tu étais dans un « établissement spécialisé ». C'est quoi, cette spécialité ? Fliquer des inconnus en pleine taïga, c'est ça ?

Fier de reprendre cet échange entre hommes, je lui expliquai cette mention : tous les élèves de notre orphelinat avaient des parents disparus dans les camps. On nous avait parqués ensemble pour ne pas contaminer les écoles ordinaires, où nous aurions divulgué le sort des prisonniers. Regroupés, nous n'avions pas grand-chose à raconter. Des parcours semblables et, de ce fait, banals. Des parents décédés dans des circonstances peu glorieuses – écrasés sous les grumes déchargées d'un tracteur, battus à mort par les co-détenus, tués par un garde ou morts d'épuisement et de maladies…

– Tu veux encore du thé ?

Sa voix résonna avec une insistance bizarre. Cherchait-il à m'éviter un sujet douloureux ? Le sentant mal à l'aise, j'abrégeai mon récit :

– C'est un internat comme un autre sauf que, voilà, on est tous enfants de…

– De taulards… dit-il avec une brusquerie coupante.

Je rétorquai en appuyant les syllabes :

– … de prisonniers !

C'était l'une des règles inviolables dans notre milieu : nous pouvions nous couvrir d'injures les uns les autres, mais personne ne devait offenser la mémoire de nos parents.

– Oui, prisonniers, c'est ce que je voulais dire… Allez, on va manger du taïmen ! Le saumon, c'est du menu fretin à côté…

Ses gestes se firent exagérément décontractés. Je n'avais jamais vu un adulte à ce point embarrassé.

Nous mangeâmes de longues lamelles tendres, sentant la fumée et le genièvre.

— Le roi des poissons !

Son exclamation jurait avec son regard peiné. Je crus l'avoir ennuyé avec ces histoires de camps et, changeant de sujet, je demandai d'un air intrigué :

— Mais, en fait… à quel moment vous avez vu que je vous suivais ?

Il joua le jeu, en vieux baroudeur.

— À quel moment ? Mais dès le départ. Il y a une astuce : tu rentres dans la forêt, tu fais dix pas et, derrière un sapin, tu te retournes — et tu vois si tu es pisté. Après, ce sera trop touffu pour t'en rendre compte…

Notre discussion dissimulait ce qui m'apparaissait de plus en plus clairement : ma vie dans cet « orphelinat spécialisé » n'était banale que par habitude. Pour tromper la souffrance, nous avions tissé un paravent de légendes qui magnifiaient nos parents morts. L'homme à capuche venait de le déchirer.

Il devait en être conscient, car son trouble allait bien au-delà d'une simple pitié pour les « enfants de taulards ». Je devinais que, d'une façon mystérieuse, ce vagabond nous était proche…

Je posai ma question machinalement :

— La bête qui, cet après-midi, m'a guetté, qu'est-ce que ça pouvait être ? Peut-être un loup en rupture de meute…

Il répondit, imitant sans conviction l'entrain des récits de chasseurs :

– Non. C'était moi qui venais voir si la traque n'était pas trop méchante. Avec ta grosse veste, tu semblais plus âgé…

– Mais je voyais votre capuche, dans une montée !

– Elle se détache, ma capuche. Je l'ai accrochée sur une branche et je suis allé jeter un coup d'œil sur toi. Le loup sans meute, c'était moi…

Nous sourîmes tous deux, moins de la formule que de la compréhension désormais partagée. La voix de l'homme reprit son timbre calme :

– Alors, quel âge avais-tu quand tes parents sont… partis ?

Je sus étouffer la douleur de mes propres mots.

– On m'a dit que mon père avait été arrêté deux mois avant ma naissance. Quant à ma mère, elle m'a eu dans le camp… Il y avait là-bas une maternité pour les nouveau-nés. Et puis… deux ans plus tard, elle est morte.

Je devinais qu'il allait me poser la question dont j'avais toujours réussi à éviter la blessure. Ma pensée chercha une esquive. Lui demander le nom de la rivière qui bruissait dans la nuit ? Ou bien l'interroger sur la destination de sa marche ?

Ses mots s'articulèrent avec lenteur :

– Et donc… ta mère, tu ne l'as pas connue ?

– Si. Je crois l'avoir vue… Une fois.

Je ne pouvais plus bouger, le regard fixé sur la théière qui, au milieu des braises, lançait un filet de vapeur. Une vision soigneusement enfouie m'aveugla : un tout jeune enfant couché dans son lit, une femme qui s'approche, l'embrasse et, sans la distinguer dans l'obscurité, il est submergé par sa tendresse, la femme part et, avant que la porte ne se referme sur elle, il voit son visage strié de larmes et ses lèvres qui murmurent des mots dont il retrouve la mélodie dans son sommeil…

Une lutte statique contre un sanglot me déchirait la poitrine. Si l'homme m'avait adressé la parole, je n'aurais pas pu retenir en moi cette déflagration de détresse. Mais il se leva, attrapa la théière et plongea dans la nuit.

Le feu était presque mort quand il revint, un quart d'heure plus tard. J'avais retrouvé ma respiration et je me sentais étrangement vieilli. Cet instant d'enfance semblait résumer tout l'amour et tout le mal que j'aurais à connaître en une vie entière.

L'homme remplit la théière avec sa mixture de plantes, s'assit face à moi, sur le tronc d'arbre auquel était attachée la corde qui m'avait piégé. Il la décrocha, la roula, la rangea dans son sac… Et se mit à parler tout bas, en tisonnant les braises :

– C'était du temps de Staline, tu n'étais pas encore né. Je… enfin, ce type qui s'appelait Pavel… Pavel Gartsev… a cru, un jour, pouvoir vivre à la manière de tout le monde…

Hésitant au début, comme s'il lui avait fallu s'approprier de nouveau l'identité d'un certain Pavel Gartsev, il reprit son récit, évoquant ce « moi » ancien, plus vraisemblable pour les autres que pour lui-même :

– En ces années, la planète aurait pu disparaître. 1949, 1950… La guerre de Corée. Les Américains étaient prêts à refaire un Hiroshima en bombardant la Chine maoïste, notre alliée. Mais le message est arrivé à temps : la Russie venait de se doter de sa propre bombe. Les essais avaient dépassé les attentes, calcinant des kilomètres carrés de désert, des constructions en béton, du bétail qu'on y avait disposé pour augmenter la valeur du test, et même, disait-on, quelques prisonniers, des condamnés à mort. Il ne restait qu'un miroir de sable fondu. Les avions de reconnaissance s'y voyaient reflétés comme dans un lac. Leurs pilotes mouraient d'ailleurs en deux jours, tant le niveau de radiation était monstrueux. À l'époque, je ne savais rien de ces préparatifs. Et pourtant cette ébauche de la Troisième Guerre mondiale allait changer ma vie…

Il se tut, fronça les sourcils, hocha la tête, comme pour se frayer un passage à travers l'épaisseur des années. Sa voix se teinta d'une mélancolie ironique que je reconnaissais déjà.

— En fait, un soir, je suis rentré chez moi à un mauvais moment… Mais attends, il faut que je te raconte cela dès le début.

II

II

– Oui, je suis rentré chez moi au mauvais moment, ce soir-là…

L'homme se tut, cherchant les mots qui pouvaient faire mieux comprendre son destin à l'adolescent que j'étais.

– En ce mois de juin 1952, âgé de vingt-sept ans, j'étais sur le point d'épouser une fille, majeure depuis peu. Svéta… Je vivais dans la certitude d'un bonheur enfin possible, une illusion à laquelle on s'accroche après une longue période noire… La mort de mes parents – vingt ans auparavant – n'était pas liée aux répressions staliniennes. Mon père dirigeait la construction d'une station hydroélectrique dont la retenue d'eau allait inonder des dizaines de villages. Un habitant pénétra sur le chantier et fit exploser la réserve de dynamite. Le barrage céda, emportant le bureau où travaillaient mes parents…

41

Mon oncle m'emmena sur les lieux. La noyade me paraissait incompréhensible : ma mère et mon père mêlés à une coulée fangeuse, entraînés dans une béance noire. Cette vision m'avait saisi à la gorge, jusqu'à l'asphyxie.

Sous les débris de ciment, je trouvai une poupée de chiffon, le pantin que j'avais souvent vu dans les mains de la petite Sima, fille d'un terrassier. Le premier frémissement, chez moi, d'un amour enfantin… La vue de cette loque de tissu me donna la sensation de l'extrême fragilité de mon propre corps. Le pantin s'incrusta en moi – réplique d'ange gardien qui allait me conseiller désormais la prudence, le compromis, la résignation.

Le regard compatissant des autres m'offrait, au début, une pénible mais valorisante identité : moi, Pavel Gartsev, victime des ennemis du socialisme, presque un héros, un symbole.

Un soir, je surpris une conversation entre mon oncle et ma tante, chez lesquels désormais je vivais : l'« ennemi du socialisme » qui avait dynamité le barrage était, en réalité, un mari trompé. Mon père avait pour maîtresse l'épouse de ce technicien. L'homme s'était vengé, sous-estimant la puissance de l'explosion. Il avait juste l'intention de provoquer des dégâts, pour que mon père fût accusé de négligence et muté…

La révélation déchiqueta l'image de victime que je m'étais fabriquée. La vie était bien plus tortueuse. Ses masques grimaçaient, changeaient de caractère, un drame révolutionnaire se muait en une farce de cocuage. Étais-je l'enfant de communistes convaincus tombés sous le coup d'un terroriste ? Ou bien le fils d'un coureur de jupons durement châtié ?

Dans ce monde confus, l'unique constante s'imposait : la haine. Elle pouvait résulter du désir, de la peur ou bien des idées apparemment nobles et, curieusement, les plus meurtrières.

En 1937, le jour du vingtième anniversaire de la Révolution, le chantier du barrage fut relancé. Peu après, le nouveau chef de travaux allait être arrêté pour « faits de sabotage antisoviétique ». J'étais déjà capable de tirer ce bilan : si un mari jaloux n'avait pas tué mes parents, on les aurait emprisonnés parmi ces milliers de responsables accusés de gaspillage, de sabotage, d'espionnage… Alors, rejeton de ces traîtres à la Patrie, j'aurais croupi dans une colonie de rééducation.

Le « pantin de chiffon » tressaillait en moi : la frivole cruauté de ces jeux de masques ne ressemblait pas à ce qu'on nous enseignait à l'école et à ce que j'apprendrais, plus tard, à l'université.

Vu ma classe d'âge, je ne fus appelé sous les drapeaux qu'en 1943, pour être affecté à la rédaction d'un journal militaire. Ce n'était pas une planque – les correspondants de guerre avançaient au milieu des combattants. Typhus, blessures, nuits passées sous la neige, j'en avais dégusté assez et avais même gardé, comme souvenir, cette marque laissée par un lance-flammes : une tache de peau brûlée sur mon cou. La cicatrice faisait penser à une araignée gorgée de sang.

Il y avait aussi une autre séquelle, invisible celle-ci, et qui avait balafré ma mémoire : une ville sur la Baltique, des fantassins que j'accompagne pour mon reportage, des maisons éventrées par les bombes et, dans une ruelle, cette dizaine de corps de femmes que les soldats piétinent en courant, car le temps nous manque, en pleine fusillade, pour enlever les cadavres... De tous les carnages observés, le fait d'avoir foulé un visage féminin allait me poursuivre avec la persistance la plus impitoyable...

La guerre finie, je rentrai à Leningrad et, après mes études universitaires, entamai une thèse sur la « conception marxiste-léniniste de la légitimité de la violence révolutionnaire »... Je poursuivais un intérêt très personnel en engageant cette recherche : je voulais comprendre ce qui se cachait derrière les jeux, à la fois brutaux et badins, de l'Histoire. La vie de mes parents et leur mort, en somme.

En rencontrant Svéta, j'eus enfin le sentiment de revenir à la merveilleuse routine de la paix. Originaire d'une bourgade à deux cents kilomètres de Leningrad, elle travaillait dans une bibliothèque et, le soir, suivait une formation de comptable.

J'avais déjà eu plusieurs liaisons – la mort de millions de soldats faisait de chaque homme une denrée rare pour les femmes esseulées. Honteux de profiter de ce privilège équivoque, je me trouvais des excuses : j'aurais pu ne pas réchapper aux massacres, l'« araignée » de la brûlure sur mon cou le démontrait crûment !

Svéta effaça ces ruminations. Elle m'aimait tel que j'étais et moi, pour la première fois, je me surprenais à apprécier, chez une femme, même les maladresses et les oublis, oui, une bouilloire laissée sur le feu, une clef égarée... Comment, avec son air de valser sur les nuages, pouvait-elle apprendre la comptabilité ?

L'amour que je lui portais n'en devenait que plus fervent, j'allais créer pour nous un ciel à part, c'est ça, des nuages où valser.

J'y croyais tellement que l'idée de lui expliquer ma thèse ne me parut pas incongrue. En m'écoutant parler de Cromwell ou des guerres vendéennes, elle fronçait les sourcils et cette expression de petite fille appliquée me donnait envie de couvrir de baisers les rides de cogitation sur son front. J'interrompais mon exposé, l'attirais vers moi, redécouvrant son corps un peu gauche mais qui semblait apprendre plus vite que sa pensée butant sur le concept de « dictature du prolétariat ».

Svéta semblait ne pas remarquer ma blessure, cette « araignée » à côté de ma carotide. Et notre amour me fit oublier l'étroite ruelle encombrée de cadavres de femmes.

Un jour, néanmoins, cette nouvelle vie, si précieuse pour moi, se dédoubla, révélant une tout autre trame…

Dans l'appartement communautaire où vivaient six familles et où nous occupions une chambre, la salle de bains était très sollicitée. Ce matin-là, je me rasais, essayant de ne pas écorcher mon cou brûlé – exploit de mimiques pendant lequel je laissais la porte ouverte afin que les autres, en tambourinant, ne me fassent pas rater cette délicate opération. Personne ne vint me déranger, mais soudain, au fond du vieux miroir, je surpris ce coup d'œil. Jamais je n'avais été dévisagé avec autant d'hostilité ! Je me retournai, sûr d'affronter la grimace d'une vieille voisine qui nous empoisonnait la vie. Ce fut une robe de chambre bleue, celle de Svéta, qui s'effaça dans le couloir…

J'essuyai le miroir, comme pour le débarrasser de cette vision, m'observai avec insistance – oui, une « araignée » sur mon cou, plus visible après le rasage, et qu'une femme aurait évité d'effleurer de ses lèvres. Enfin, une femme qui n'aurait eu pour moi aucune tendresse… Une fine entaille laissait perler du sang sur le bord boursouflé de la cicatrice.

Rien ne changea pourtant entre nous. Svéta s'offrait à moi avec la même gaucherie adolescente, m'appelant dans un chuchotement espiègle « mon petit loup ». Sans trop d'effort, je réussissais à rester aveugle.

Une semaine après ce regard intercepté dans le miroir, je reçus une convocation du comité militaire de la ville : tous les réservistes allaient suivre, pendant deux jours, des préparatifs à la mobilisation. Je n'étais pas mécontent d'endosser l'uniforme, d'apparaître devant Svéta sous mon aspect de guerrier. Inconsciemment, j'espérais rendre mon cou brûlé plus acceptable – pour un soldat, de telles blessures sont naturelles.

Dans la garnison, proche de Leningrad, un colonel nous parla des combats en Corée, des menaces que l'impérialisme américain faisait peser sur la paix et de la probabilité de cinq ou dix Hiroshima – cette fois, dans nos villes d'Extrême-Orient…

Désireux de retrouver Svéta au plus vite, j'obtins l'autorisation de rentrer sans attendre les camions qui devaient ramener tout le monde, le soir.

La nuit tombait quand je pénétrai dans la cour de l'immeuble par le lacis des passages coudés, particularité bien connue de Leningrad. Au même moment, des phares balayèrent l'espace entre les maisons et me firent reculer vers la porte cochère. « Quel est cet abruti qui fonce comme ça, en pleine cour ? » Une voiture s'arrêta et, dans la lueur d'un lampion au-dessus du perron, je reconnus Vlas Iouline, un collègue de faculté qui, plusieurs fois déjà, m'avait invité chez lui, les derniers temps avec Svéta. De trois ans mon cadet, il progressait rapidement dans sa carrière grâce à ses parents, des notables du Parti. Cette voiture, le fameux Horch 901 des généraux allemands, était un « trophée » que son père avait fait venir de Berlin…

Svéta en descendit, et cela me fit croire à une blague qu'ils m'auraient préparée. Elle embrassa Iouline – leurs corps s'accordèrent dans un agencement dont ils devaient visiblement avoir l'habitude. « Je peux rester ? » souffla-t-il dans un bafouillis excité. Elle ricana : « Tu sais bien que mon crabe rôti peut revenir. Demain, je saurai combien de temps il compte jouer à la guéguerre. Alors, on passera plusieurs jours ensemble, mon petit loup… » Elle se libéra, monta les trois marches du perron et disparut dans l'entrée.

Pour réagir, il m'aurait fallu contourner la voiture et perdre ainsi l'avantage de la surprise. Et puis, les paroles de Svéta avaient eu sur moi un effet incapacitant. Ce « petit loup » qui s'appliquait aussi à Iouline. Et le « crabe rôti », le sobriquet qui me désignait donc dans leurs conversations... Je restais hébété devant le sens inversé de tout ce que j'avais vécu avec cette jeune femme.

L'impossibilité d'une brusque entrée en scène me calma, empêchant une conduite bruyante et ridicule. Le vent apportait l'odeur de la poussière mouillée par la pluie, la fraîcheur du feuillage. Abasourdi, je crus pouvoir me fondre dans cet air nocturne, dans ses senteurs, son silence... Mais il fallait rentrer, recommencer à jouer à la vie.

Svéta était déjà couchée, ce qui me facilita le jeu. Je mangeai, me lavai, m'étendis à ses côtés. Dans un demi-sommeil, elle se serra contre moi... Je ne voyais pas ses traits, mais je devinai ce vacillement : elle ne savait pas qui elle était à ce moment-là. Une jeune fiancée qui, avec ingénuité, s'ouvrait à l'amour ? Ou bien un corps qui n'avait plus grand-chose à apprendre de la mécanique du désir ? Je l'étreignis doucement, dans l'espoir de retrouver celle que j'aimais... Elle se laissa posséder sans que je comprenne si elle imitait l'inexpérience juvénile ou bien, simplement, cédait au sommeil. Soudain, dans la montée du plaisir, elle chuchota avec un timbre sifflant : « Oui, mon petit loup, oui ! » et ses mouvements acquirent le savoir-faire qui n'ignorait rien de la besogne charnelle...

Je la repoussai, m'assis sur le lit, m'apprêtant à lui faire avouer la vérité. Mais elle s'était rendormie, émettant des ronflements geignards, comme une femme âgée, usée par la vie. Sans doute n'avait-elle même pas remarqué ma brutalité.

Cette nuit-là, plus douloureusement que jamais, me revint ce souvenir de guerre : une ruelle encombrée de cadavres de femmes. Les habitants de la ville nous avaient dit qu'il s'agissait des patientes d'un hôpital psychiatrique, des malades mentales abattues par les Allemands la veille de notre offensive.

Je partis tôt le matin, me promettant de tout éclaircir le soir, à mon retour : « Elle reviendra avec cette ordure de Iouline, je les coincerai, et alors... » J'imaginais mal par quoi tout cela pouvait se conclure. Une bagarre ? Une rupture ? Une confession larmoyante ? Des variantes pareillement risibles et vaines.

La seconde journée à la garnison s'acheva sur une annonce qui provoqua la liesse de la majorité des réservistes, libérés, et l'abattement chez les autres que l'armée rappelait pour un temps indéfini. « Suivant la situation politique!» déclara le colonel. Je faisais partie de cette minorité qui devait se préparer au départ. Nos paquetages étaient déjà bouclés. Le lendemain, à cinq heures du matin, nous avions rendez-vous à la gare.

Je rentrai avant l'arrivée de Svéta, sûr que Iouline la raccompagnerait, comme la veille. Dans un coin de la cour, je m'installai sur un banc, à côté d'un arbuste, la position idéale pour les prendre au dépourvu.

Je n'eus presque pas à attendre. La voix de Svéta retentit dans l'obscurité – Iouline avait dû se garer dans la rue. Je me redressai, ma pensée bouillonnant de reproches. Mais très vite, il me fallut me remettre en retrait : elle marchait, suivie d'une femme !

La chambre que je louais se trouvait au rez-de-chaussée. Je vis la fenêtre s'allumer, puis les battants s'ouvrir – il faisait très chaud ce soir-là. Intrigué presque plus que la dernière fois, je longeai le mur, m'arrêtant sous cette fenêtre qui découvrait ce chez-moi éclairé, à la fois connu et méconnaissable.

Les deux femmes dînèrent d'une nourriture modeste, celle qu'on trouvait dans les villes à peine sorties de la guerre. J'entendis des phrases brèves qui, entre vieilles connaissances, condensaient leurs propos dans des allusions, des soupirs.

Ce qu'elles disaient était parfaitement atterrant ! Ma «fiancée» s'appelait non pas Svéta mais Zina, en tout cas, son amie la nommait ainsi. Cette Svéta-Zina avait non pas dix-huit ans, mais vingt-quatre. Sans passeport, de même que tous les habitants des zones rurales sous Staline, elle vivait donc à Leningrad dans une situation illégale. Sa bourgade se trouvait non pas à deux cents kilomètres, au milieu de belles forêts, mais à seulement trente, et c'était un village détruit par la guerre. Seules y résidaient des veuves et deux ou trois jeunes « fiancées », prêtes à tout pour fuir ce bout d'enfer privé d'électricité, de routes, de commerces. Oui, elles étaient prêtes même à faire l'amour avec un « crabe rôti »...

Malgré mon effarement, je comprenais la logique de cette jeune vie. Après tout, les femmes que je côtoyais à l'université espéraient exactement ce dont rêvait Svéta : un mari, une famille, un logement décent. Et la préférence donnée à un Iouline tenait non pas à mon cou « rôti » mais à la position plus enviable qu'elle comptait obtenir grâce à lui. Svéta la comptable...

Je quittai la cour, le visage figé en un rictus de dégoût désormais hors de propos, et décidai d'aller à la gare pour y passer ces quelques heures qui me restaient avant le départ. M'en aller sans revoir Svéta me paraissait le choix le moins pénible mais aussi le plus juste : que dire à cette jeune femme que, en vérité, je n'avais jamais rencontrée ? Une fiction amoureuse fabriquée à l'aide de mes attendrissements niais... Du théâtre.

À la gare, la colère et l'aigreur ne me lâchèrent pas tout de suite. J'imaginais Svéta-Zina offrir à Iouline des caresses que je n'avais pas reçues... En réalité, il ne s'agissait plus d'elle mais de ce personnage que tout homme trompé fabrique : une maîtresse à la fois haïe et infiniment plus désirable, car appartenant à un autre.

Cette rancœur céda devant un constat qui soudain m'éblouit : « Mais c'est que... Elle m'a libéré ! » J'imaginai l'écœurante stagnation de mensonges qu'aurait été ma vie, aux côtés de cette femme obligée de me tolérer et, inévitablement, de souffrir ! Et de subir cette « araignée » sur mon cou.

Dans le train, mes compagnons les réservistes fumaient ou buvaient du thé coupé d'alcool. Nous n'étions pas de simples appelés mais des hommes qui, pour la plupart, avaient fait la guerre, les officiers ne nous imposaient pas une discipline trop stricte. Après une halte à Moscou, le convoi se dirigea vers l'est et roulait déjà depuis quatre jours.

Les sujets de conversation variaient peu : épouses revêches, véritables boulets qui nous gâchaient la vie, et, à l'opposé, amantes d'une nuit, qui rendaient au monde sa vraie saveur. On évoquait aussi les exploits guerriers – par le décompte d'ennemis tués. Et les avantages comparés des métiers et des salaires. Et, pour quelques veinards, la possession d'une voiture. À quoi s'ajoutait la préférence pour une équipe de football… Une telle échelle de valeurs ne suscitait de doutes chez personne.

Oui, Svéta m'avait libéré de cette vie-là ! Je me souvenais de mes projets amoureux, de ma jalousie… Désormais, dans ce théâtre d'ombres régnait un silence débarrassé de tout mensonge.

Au bout de huit jours de voyage, nous arrivâmes à Amgoun, une bourgade située sur une rivière du même nom. Il nous fallut encore une journée de route, en camions, pour atteindre l'endroit où allait se dérouler la simulation de la Troisième Guerre mondiale.

Le cantonnement, dans la taïga d'Extrême-Orient, était destiné à tester notre résistance face à un conflit atomique. Déjà, la décision de nous faire traverser le pays avait servi à vérifier si notre armée était en mesure de déplacer une grande masse d'hommes vers le Japon et ses bases américaines. En ce début d'été 52, l'affrontement devenait de plus en plus probable.

Les manœuvres auxquelles nous participions n'avaient rien de particulier : tirs, orientation sur le terrain, sauts en parachute. Pourtant, la spécificité nucléaire y apporta un aspect inédit.

Sur un parcours d'une trentaine de kilomètres, nous avancions à travers la forêt, consultions les cartes, pataugions dans les marécages... Une tâche exténuante, vu que nous étions attifés de carapaces anti-atomiques, gants, masques, bottes et ces combinaisons lourdes comme des armures d'acier. Pour rendre l'hypothétique radiation plus spectaculaire, des fumigènes répandaient une suspension jaunâtre qui, tant qu'à faire, imitait aussi une attaque chimique. Cela nous préparait, nous expliqua-t-on, à un abominable produit, appelé « agent orange », dont les militaristes américains venaient de démontrer l'incroyable efficacité… À l'époque, je prenais ces affirmations pour un excès de propagande, ignorant que, des années plus tard, cette trouvaille causerait des millions de morts au Vietnam.

La marche, en pleine chaleur, nous faisait transpirer à torrents. Les oculaires de mon masque à gaz s'embuèrent – j'avais oublié de les enduire avec un stick qui protégeait le verre contre cette moiteur. Après un tir où j'avais mitraillé une cible un peu à l'aveuglette, notre section se dispersa sur des itinéraires qui allaient se rejoindre à la fin de cet asphyxiant gymkhana.

Je partis de mon côté, zigzaguant comme un ivrogne et assourdi par mon propre soufflement dans le respirateur du masque. Au bout d'une demi-heure, à travers la buée des oculaires, je distinguai un courant, l'ombre d'un saule…

Et une femme ! Ou plutôt une silhouette penchée au-dessus de l'eau et dont les gestes me firent penser au rinçage du linge. Au milieu du délire guerrier auquel je participais, cette présence exprima une vérité humble et souveraine, une délivrance.

Je m'avançai de quelques pas, la silhouette tangua dans le brouillard de ma vision et disparut derrière le feuillage. Descendant sur la berge, je m'y affalai, jetant à terre mon arme et, sans attendre, arrachai mon masque.

Libéré de cet étouffoir, je restai un moment à ne faire que boire de l'air, sans penser à l'exercice dont je venais de déserter la piste. Devant moi, une rivière murmurait sa ritournelle sonore, une plante aquatique laissait flotter ses tresses fleuries. Cet ondoiement, au gré des flots, me sembla doté d'une signification bien plus profonde que notre piétinement dans les fourrés et nos tirs contre les cibles clouées aux troncs des arbres…

Une rafale de mitraillette retentit, me ramenant à la réalité, à cette simulation post-atomique qui se poursuivait. Autour de moi, la rivière rythmait sa mélodie, le soleil se brisait en écailles, se calmait en une lente coulée d'or sombre dans une anse. Et les sommets des sapins ondulaient, répondant au grand vent qui venait de l'océan invisible.

À quelques centaines de mètres de là, des hommes avançaient pesamment, caparaçonnés d'une rude enveloppe caoutchouteuse, la tête moulée sous un épais latex. L'air parvenant à leur souffle avait l'odeur acide du filtrage. Leur regard que la buée rendait flou ne voyait ni le ciel ni la transparence des eaux, seulement ces cibles : des silhouettes fixés aux arbres, avec une tache rouge au plexus solaire qu'il fallait cribler de balles. Ce comportement avait sa logique, car l'ennemi s'apprêtait à brûler cette forêt de juin dans une fournaise atomique. On nous avait montré un documentaire : un désert fuligineux à la place des deux villes japonaises…

J'imaginai la femme à qui mon accoutrement d'extraterrestre venait de faire peur. Elle devait à présent marcher sur un sentier, à l'écart de ce monde en délire. Donc, ce monde-là était évitable !

Non, je n'étais pas à ce point naïf pour clamer un amour universel. Mais l'air que je respirais était le même de l'autre côté de l'océan, et le bruissement des eaux devait avoir la même tonalité sur les îles japonaises ou ailleurs. Cet instant d'été avait un même écho de sérénité sur tous les continents…

Cette pensée m'aida à garder mon calme face à un officier qui, surgissant dans mon dos, m'interpella brutalement. Je reconnus Ratinsky que tous les réservistes détestaient – un jeune militaire d'active, imbu de son grade. Blond, impeccable dans un uniforme certainement repris, çà et là, par une couturière, il m'avait toujours semblé dangereux à cause de son arrivisme effréné. En perroquet, il répétait chaque parole de ses supérieurs et ne cherchait qu'à accomplir un acte qui aurait suscité leur approbation. Ce jour-

là, il eut une chance inespérée : un déserteur se pré-
lassant au bord d'une rivière, sa mitraillette jetée dans
l'herbe et sa combinaison largement bâillante. Et cela
en plein bombardement nucléaire !

Il hurla sans enlever son masque puis, comprenant
que je n'entendais pas grand-chose, s'en débarrassa et
éructa, dissimulant mal le plaisir de souffler à l'air
libre. Je l'observais presque avec compassion : un
blondinet écumant de haine, impatient de visser une
petite étoile de plus sur ses pattes d'épaules…

Me voyant peu réceptif, il haussa le ton, se mit à
dénigrer les réservistes, qui, d'après lui, avaient oublié
de quel côté on chargeait un fusil. Cette dernière réplique m'éveilla, j'attrapai ma mitraillette et, d'une voix
très posée, expliquai : « Vous savez, camarade sous-
lieutenant, quand on porte un masque, on voit mal.
D'où un gros risque de viser non pas la cible mais
quelqu'un qui se trouve à côté. Une erreur involon-
taire, un accident, quoi. Ça arrive… » Ratinsky se rai-
dit, il n'ignorait pas que ces « accidents » fauchaient
parfois les chefs tyranniques. Ne voulant pas tenter le
sort, il lâcha : « Bon, Gartsev, vous le direz au capitaine
Louskass. Il vous fera comprendre où mènent les actes
d'insubordination. »

Louskass, responsable de la sûreté militaire, était
une tout autre pointure. Un rapport écrit de sa main

pouvait valoir à chacun de nous une arrestation et l'envoi dans un camp. Quand il apparaissait au cantonnement, les conversations s'éteignaient. Grand, chauve, il avait les yeux d'un bleu éclatant, comme la cassure d'une banquise. Pendant la guerre, il envoyait devant le peloton d'exécution des « traîtres » et des « défaitistes ». Depuis, sa mission n'avait pas beaucoup changé… Se croyant au service d'une idée, Louskass ne supportait pas les imperfections de la vie. Si ç'avait été en son pouvoir, il aurait redressé tous les troncs tordus dans la taïga des environs.

Je m'attendais à être convoqué mais les jours passaient et ma faute semblait oubliée. Jusqu'au moment où, allant déjeuner, je le croisai. Me perçant de son regard bleu, il murmura : « Disons qu'il s'agissait de la générale, Gartsev. Mais je ne vous laisserai pas jouer la première. » Et il s'éloigna sans rien ajouter. J'eus le sentiment qu'il avait lu dans mes pensées – peu auparavant encore, je comparais le vide qui m'habitait aux échos d'une voix dans un théâtre déserté par le public.

Cette situation en suspens me peinait, je voulus en parler à l'un des rares camarades à qui je pouvais me confier. J'avais rencontré ce sergent, Mark Vassine, à la fin de la guerre, notant sa bravoure qui jurait avec sa très petite taille. Sept ans après, nous nous étions retrouvés dans ce cantonnement. Bien plus âgé que moi, il avait pourtant été mobilisé – sans doute parce qu'il était veuf et n'avait pas d'enfants à charge.

Je lui rapportai la menace sibylline proférée par Louskass. Vassine sourit. « Cela me rappelle cette histoire drôle. Un vieux juge d'instruction qui a expédié plein de gens en Sibérie part à la retraite. Son fils reprend ses dossiers et tombe sur une affaire de complot anti-Parti. En dix jours, il termine l'enquête et les "comploteurs" sont fusillés. Son père soupire : "Pauvre crétin ! Moi, j'ai gagné mon salaire pendant dix ans sur cette affaire…" »

Il poussa un rire étouffé. « Donc, je crois que notre sage capitaine Louskass n'est pas pressé de t'offrir des vacances à Kolyma. Tant que les dossiers comme le tien le font vivre… »

Je savais que Vassine avait fait lui-même de la prison. « Rien de politique, précisait-il. Un petit coup de colère… »

Un autre exercice consistait à passer vingt-quatre heures dans des abris souterrains, sans nourriture, sans eau, en recevant le minimum d'air à travers un étroit tuyau de ventilation et subissant les suites d'une série de détonations.

Chaque abri pouvait accueillir une dizaine de soldats. J'allais descendre dans celui de ma section mais Ratinsky me retint : « Non, Gartsev, vous irez dans l'abri numéro dix-neuf. » J'étais mal placé pour récriminer. Le numéro dix-neuf était petit, presque abandonné, en tout cas jamais utilisé depuis notre arrivée. Je devais y rester seul – Ratinsky avait bien médité sa vengeance.

Tous les abris étaient fabriqués sur le même modèle : un coffrage, en planches épaisses, enseveli sous deux mètres de terre – en fait, une maison en bois inhumée. Le dix-neuf, très exigu, s'était transformé, par manque d'usage, en une grosse caisse sentant la putréfaction végétale.

Un cercueil… Le plancher, spongieux d'humidité, cédait sous mon pied. La lourde trappe une fois rabattue, l'éclairage se réduisit à une ampoule qui commença aussitôt à clignoter. Le plus étonnant fut l'abondance des racines qui, en longues crinières blêmes, se faufilaient à travers le plafond, cherchant dans l'air stagnant à quoi s'accrocher. Je ne pouvais faire un pas sans que leurs tresses ne me collent au visage. Elles pendaient aussi du tuyau d'aération qui, bouché, ne servait à rien.

La variété des insectes et des vers qui surgissaient des interstices du bois pourri me sidéra. Avec répulsion, j'entrepris de les chasser, nettoyant mon grabat. Mais leur nombre était trop important – à croire que de chaque fente une multitude chitineuse ou visqueuse m'épiait avant de se glisser dans mes vêtements. Leur grouillement se concentrait aussi dans les guirlandes des racines et, plus actif encore, dans le coin où se situait la fosse des latrines recouverte d'un rectangle de contreplaqué moisi.

Je consultais ma montre toutes les deux minutes mais les aiguilles s'enlisaient dans un temps sans direction.

Une explosion se produisit à midi exactement. Puis, à une minute d'intervalle, deux autres. Les mottes de terre, retombant sur la trappe, créaient l'illusion du cognement d'un train sur les rails. Et l'effet le plus tangible fut le craquement des planches qui, du plafond, jetèrent sur moi une nouvelle armée d'insectes...

Soudain, la lumière s'éteignit. On nous avait interdit d'emporter des allumettes, et d'ailleurs la moindre combustion aurait vite épuisé le peu d'air dont disposait ce cachot.

Désemparé, je manipulai, à tâtons, cette maudite ampoule mais sa douille, oxydée, se cassa. Ma montre n'avait pas de cadran lumineux, je me résignai donc à de longues heures de ténèbres. Étalant ma combinaison anti-atomique sur le grabat, je m'allongeai, essayai de m'assoupir...

C'est la cadence de mon souffle qui me réveilla : je respirais par petites saccades bruyantes et, dans mes tempes, le sang répercutait un tempo rapide, sifflant. L'air me manquait…

Je bondis vers la trappe, tentai de la soulever. Sans doute était-elle recouverte de la terre projetée par l'explosion. Arrachant l'une des planches du grabat, je me mis à frapper contre ce couvercle. Dans l'obscurité complète, mes coups partaient de travers, éraflaient le plafond, me saupoudraient d'éclats de bois humide. Je criais, indiquant le numéro de mon abri. Et très charnellement, je sentais en moi la présence d'un homoncule apeuré, du «pantin de chiffon» – ce condensé de mon instinct vital.

Le noir se colora subitement de cercles irisés, je vacillai, avec la sensation d'une longue chute insonore.

La mince couche d'air encore respirable, près du sol, me fit revenir à moi. Étendu sur la surface putré-fiée du plancher, j'inhalais à un rythme inégal, comme pour trier les gorgées, saines ou viciées, accumulées au fond du cercueil. Une centaine d'inspirations, et puis viendraient les cercles lumineux dans les ténèbres, le vertige, l'asphyxie…

Avec une énergie sauvage de survie, je me redressai, poussant une vocifération aiguë sous le tuyau d'aéra-tion bouché de racines. Mes mains les empoignèrent, tirèrent, utilisant tout le poids de mon corps… Je tombai, entraînant vers moi ces tresses arrachées et

64

une coulée de terre mêlée aux éclats des filtres depuis longtemps émiettés.

Après un long moment suspendu entre la suffocation et la vie, un filet d'air se fit sentir par une suite d'indices : la surface des planches devenait un peu plus froide, l'odeur âcre de pourrissement s'allégeait et surtout, retrouvant mes réflexes, je parvins à secouer la tête, me débarrassant des insectes.

Allongé sur le grabat, je passai plusieurs minutes avant de ne plus me soucier de chaque inspiration. Et la soif empiétait déjà sur la peur d'étouffer.

Ce retour à la vie, au lieu de me réjouir, m'accabla. Ma mort temporaire n'avait donc rien changé ! J'étais en train de réintégrer mon corps, de veiller à ses petites lubies et phobies. Et le choc d'avoir failli être enterré vivant, couvert de vermine, oui, cette imitation très réelle de ma fin, ne m'empêchait pas de repenser à Svéta, avec une violente envie de la reconquérir, de reprendre notre routine charnelle.

Le bref séjour au bord du néant, au lieu de me pousser vers des sommets de sagesse, amplifiait au contraire la très bête frénésie de vivre – posséder une femme, revenir dans les jeux de la tribu humaine. Le « pantin » s'agitait de nouveau en moi !

Je pensai aux philosophes que j'avais étudiés. Les Grecs, les Romains, les mystiques du Moyen Âge, Kant, Hegel, les inévitables Marx et Lénine… Tous apparemment avaient ignoré l'essentiel : ce noyau de l'homme, cet alliage bestial et tribal qu'aucune Idée absolue ne pouvait transcender, aucune Révolution ne parvenait à mater.

Tout autour, dans les camps que cachait la taïga, des milliers d'ombres meurtries peuplaient des baraquements à peine plus confortables que mon abri. Que pouvait proposer un philosophe à ces prisonniers ? La résignation ? La révolte ? Le suicide ? Ou encore le retour vers une vie... libre ? Mais quelle était cette « liberté » ? Travailler, se nourrir, se divertir, se marier, se reproduire ? Et aussi, de temps en temps, faire la guerre, jeter des bombes, haïr, tuer, mourir... Nulle sagesse ne donnait une réponse à cette question si simple : comment aller au-delà de notre corps fait pour désirer et de notre cerveau conçu pour vaincre dans les jeux de rivalités ? Que faire de cet animal humain rusé, cynique, toujours insatisfait et dont l'existence n'était pas si différente du grouillement combatif des insectes qui s'entre-dévoraient dans les fentes de mon abri ? La « légitimité de la violence », comme j'écrivais dans ma thèse...

Soudain, un frottement se fit entendre et me fit imaginer un rat ou un reptile. Je tapai du pied mais le bruit devint même plus étoffé puis se doubla d'un écho sourd semblable à une explosion. Ma soif, devançant mon ouïe, devina : le tonnerre, la pluie...

L'eau !

Les gouttes tombaient, suivant le tuyau d'aération et celles des racines que je n'avais pas réussi à arracher. Je retrouvai dans le noir leurs guirlandes qui laissaient fluer un mince ruisselet.

Si quelqu'un avait pu me voir, il aurait cru que j'embrassais ces longs filaments emmêlés. En vérité, j'y mordais presque, aspirant l'eau dont ils s'imbibaient, recrachant du sable, des échardes de bois et du charbon de filtres détruits.

Il me fallut peut-être une heure entière pour étancher ma soif et m'autoriser à frotter mon visage avec ces nattes mouillées. Levant les bras, je m'agrippai au conduit d'aération, le tirai avec force et m'écroulai, car le tuyau céda, sortant de la terre, et se cassa en plusieurs tronçons. Couvert de boue, je me redressai sous l'ouverture qui venait de se former.

Mes yeux, habitués à l'obscurité, distinguèrent tout de suite cette pâle luminescence. La pluie avait cessé et le ciel nocturne, dégagé, bleuissait légèrement. À travers la trouée, je ne voyais pas la lune, mais c'est elle qui répandait ce discret brasillement. Une étoile semblait vaciller au milieu des hautes herbes dont les tiges ondoyaient sous le vent, là-bas, à la surface de la Terre, dans un monde qui, vu de mon tombeau, devenait si différent.

Je restais sans bouger, le regard ensorcelé par l'incroyable étrangeté du visible. La percée s'ouvrait sur une vie face à laquelle tout ce que j'avais vécu et appris perdait son importance. Mes déboires sentimentaux et les doctrines qui prétendaient englober le sens de l'univers, tout cela n'avait plus aucun écho dans la vérité que je venais d'approcher. J'admirai jusqu'au vertige ces herbes qui effleuraient une étoile et crus même apercevoir une ombre humaine qui veillait au-delà de cet étroit passage terreux que je pouvais frôler de ma main...

Plus tard, je me rendrais compte que je n'avais jamais contemplé aussi longtemps le ciel nocturne.

Une fine coulée de soleil me réveilla. Je captai des voix qui criaient mon nom et, à l'extrémité de la trouée, je reconnus le visage de Ratinsky.

« Gartsev, vous m'entendez ? » Ses paroles trahissaient une vraie inquiétude. Je ne répondis pas, trop éloigné encore de ces jeux qui allaient reprendre là-haut, dans leur farce humaine.

Des coups de pelle me firent comprendre qu'on était en train de dégager la trappe, enlevant la terre retournée par les explosions... Je mis ma combinaison antiradiation et mon masque à gaz – non pour respecter les consignes, mais plutôt avec l'ironie digne de ce dénouement.

Remontant à la surface, je vis le sous-lieutenant Ratinsky qui craignait sans doute de devoir me retirer asphyxié de cet abri inadapté. Le capitaine Louskass, chasseur d'espions, flairait un complot : un soldat qu'on fait crever, était-ce une machination pour ternir l'image de notre armée ?

Plus que ces deux-là, c'est la présence du commandant Boutov qui m'étonna. Je me dressai devant lui et, toujours avec une exagération moqueuse qu'il ne releva pas, je bafouillai : « La mission est remplie, camarade commandant ! » Il bougonna, presque penaud : « Enlevez votre masque, Gartsev... » Je m'exécutai et les vis tous reculer : mon visage était noir de boue et plusieurs racines collaient à mes tempes en cadenettes séchées.

« Qui vous a donné l'ordre de descendre dans cet abri ? » me demanda-t-il. Sa question n'était qu'une formalité, il savait bien qui avait distribué ces tombeaux, mais préférait que je désigne le coupable. Les yeux de Ratinsky, des petits yeux marron, s'affolèrent... Je toussotai, crachouillant des grains de sable, et de nouveau, dans une attitude très réglementaire, fis mon rapport : « Camarade commandant, j'ai demandé d'effectuer mon entraînement dans l'abri numéro dix-neuf pour tester mon endurance. En cas de guerre atomique, de nombreux combattants pourraient se retrouver dans les conditions que j'ai dû endurer. »

Boutov acquiesça : « Bon, si vous le dites... » Gros et paterne, ce n'était pas un homme à rechercher le conflit. « Allez vous laver, Gartsev. Et quartier libre jusqu'à demain neuf heures.» Il s'en alla, suivi de Louskass.

Ratinsky, esquivant mon regard, répéta : «Quartier libre...» et se précipita pour rejoindre ses supérieurs.

J'étais fier de ne pas m'être abaissé à le dénoncer. Pourtant, je savais qu'il ne me pardonnerait pas ce geste d'humanité. Une constante psychologique dont j'étais curieux de vérifier la fatalité.

Étrangement, je me sentais en partie responsable de ce qu'était cet homme. Car je ne sus pas lui expliquer la vie que j'avais entrevue dans le caveau où il m'avait enterré.

J'aurais pu terminer mes trois mois de mobilisation dans ce va-et-vient entre la farce de notre monde et l'impossibilité de dire ces quelques instants qui m'en avaient si radicalement éloigné. J'aurais continué à imiter mes semblables, participant à ce copiage risible et lugubre de la Troisième Guerre mondiale.

Oui, les attaques atomiques auraient poursuivi leurs paisibles simulations si, le lendemain, il n'y avait pas eu cette alerte.

III

III

Convoqué tôt le matin au poste de commandement, j'y trouvai un petit cercle d'initiés : Louskass,
Ratinsky, Vassine. Et Boutov qui prit la parole. Sa
voix résonna avec une anxiété inhabituelle :

« Le chef du district militaire nous confie une mission d'une extrême importance… »

Il piqua son mégot dans un cendrier fabriqué avec
une douille d'obus. Je m'attendais, comme les autres,
à deux hypothèses à la fois probables et fantasmago-
riques : la bombe que les Américains auraient lancée
sur Vladivostok ou bien un exercice encore plus
dément que mon inhumation. Ce choix en disait long
sur la rationalité de l'époque où nous vivions.

« Non, il ne s'agit pas de manœuvres, reprit Boutov,
devinant nos pensées. Un acte très grave a été commis
dans un camp de prisonniers voisin, à vingt-cinq kilomètres d'ici. Un criminel armé et prêt à tuer vient de

s'évader… » Son ton trahissait une note de justification. Il se tourna vers Louskass.

« Il a fui au moment du transfert, a blessé un garde et lui a volé son fusil. Et là où ça devient vraiment une sale affaire pour nous… Oui, je le sais, capitaine Louskass, oui, d'après les renseignements qu'on vient de me transmettre (et la liaison était exécrable, comme par un fait exprès) ce prisonnier, du nom de Lindholm ou Lundholm, bref, un nom étranger, à moins que ce ne soit sa ville de naissance, donc, après s'être évadé, il n'a rien trouvé de mieux que de pénétrer sur le territoire de notre cantonnement. Je me demande ce que faisaient nos factionnaires ! Vous comprenez maintenant qu'il ne s'agit pas seulement de donner un coup de main aux équipes qui sont lancées à sa poursuite, mais aussi de laver l'honneur de notre régiment ! »

Il alluma une nouvelle cigarette et bougonna : « Vos questions ! »

Ni Ratinsky, ni Vassine, ni surtout moi n'osâmes intervenir. Louskass nous balaya de son regard bleu polaire et, au lieu d'une question, formula une consigne, pour bien montrer que le commandement assuré par Boutov serait supervisé par lui, Louskass, représentant du contre-espionnage militaire et garant de la pureté idéologique : « Défense absolue de communiquer quoi que ce soit à qui que ce soit, ordonna-t-il. Départ dans vingt minutes… » Pour ne pas perdre la face, Boutov maugréa : « Exécution ! »

Nous partîmes donc, disposant de peu d'informations : un évadé, portant un nom germanique, avançait dans la taïga, le long de la rivière Amgoun, après avoir traversé notre campement.

L'urgence était de lui couper la route vers le nord, une contrée encore plus sauvage. Son identité, apparemment étrangère, ajoutait à notre équipée une gravité supplémentaire. Était-ce un agent occidental, parachuté afin d'aider les Américains à lancer une attaque à partir de leurs bases nippones ? Ou bien un ancien soldat nazi, emprisonné en Sibérie et qui cherchait à filer vers le Japon, ex-allié d'Hitler ? En tout cas, le rattachement de Louskass à notre groupe signifiait que la piste de l'espionnage n'était pas à négliger.

La présence de Boutov était tout aussi logique. C'était le commandant en charge de l'opération.

Pour Ratinsky, cela allait sans dire : aux yeux de ce jeune carriériste, notre mission devenait une occasion rêvée d'étaler ses talents, d'autant que l'état-major avait promis des gratifications.

Mark Vassine avait été jugé indispensable pour sa capacité à dompter Almaz, le molosse que nous avait prêté la direction du camp de prisonniers, un mélange de berger allemand et de dogue.

Chacun jouait donc sa partition dans notre quintette. Sauf moi. Au début, j'espérais que leur décision s'expliquait par le remords de m'avoir enterré dans un abri qui avait failli être ma tombe. Je croyais encore à la bonté naturelle de l'homme...

Un soir, resté en tête à tête avec Vassine, je lui fis part de mon étonnement : « Tu sais, Mark, je pense que ton Almaz est dix fois plus utile que moi. Pourquoi m'ont-ils fait venir ? » Il appela son chien, lui attrapa la tête, le caressa. Puis me demanda : « Tu connais le cinquième angle ? » Je répliquai avec stupeur : « Ce jeu de voyous, tu veux dire ? Bien sûr. À quatre on forme un carré et le cinquième, on le met au centre et on le repousse pour qu'il ne puisse pas sortir... » Vassine opina avec un soupir : « Je crains qu'il ne s'agisse de t'éjecter du carré si notre escapade foirait. L'autre jour, j'ai parlé avec Ratinsky et j'ai senti que c'était un peu leur idée : toi, un bouc émissaire, déjà mal noté, et à qui Louskass pourrait imputer nos échecs... Fais gaffe, Pavel. »

Je ne le crus qu'à moitié. La beauté de la taïga nous immergeait dans son lent ondoiement vert, loin de la hargne des petites pensées qui nous opposaient les uns aux autres. Après le séjour dans mon tombeau anti-atomique, je marchais avec l'illusion de pouvoir m'élever vers le vitrail du ciel encadré de branches, inspirer l'ivresse de l'air, l'immensité de l'horizon et surtout le vent qui venait de l'océan et reliait la moindre aiguille de cèdre à cet infini lumineux où nous n'étions rien. Je dilatais mes poumons jusqu'à l'étourdissement, éprouvant pour quelques secondes un espoir déraisonné : notre expédition pouvait n'avoir pour but que cette lumière, cet élan de liberté…

Mais, tout de suite, il fallait me courber sous le regard de Louskass, relever les indices que le passage de l'évadé aurait laissés, renifler l'air pour détecter la fumée d'un feu de bois, oui, rester fidèle à l'objectif policier de notre mission. Je m'exécutais, assumant mon rôle de tricard, obligé de courir à droite et à gauche, explorer un fourré, vérifier un détour…

Et pourtant, c'est déjà le soir du deuxième jour que j'eus l'occasion de désobéir. La veille, Almaz avait découvert des empreintes de pas, bien visibles sur un terrain mousseux. Louskass nous incita à accélérer le pas, escomptant sans doute coincer le criminel avant le crépuscule. Après un crochet inutile que je venais de faire sur son ordre, j'avançais à l'arrière de notre file indienne. Soudain, sur une branche qui surplombait une gâtine, j'aperçus une petite touffe de fleurs jaunes accrochée à un rameau. Je faillis appeler les autres, puis me ravisai. Quelqu'un avait marqué ainsi sa voie et j'y devinai un savoir-faire certain : une balise au sol aurait été tout de suite détectée par les poursuivants ou piétinée par les bêtes. En revanche, ce petit brin jaune, au-dessus de ma tête, n'était visible qu'à celui qui s'arrêtait, levait les yeux, laissait venir vers lui la clarté du ciel…

Je rattrapai le groupe pour informer Louskass : « Je n'ai rien trouvé, camarade capitaine. » Et secrètement, je sentis que je ne faisais pas la même route que lui.

La nuit, nous voyions désormais le feu allumé par l'évadé. Il en alimentait d'habitude trois, à plusieurs mètres de distance, ce qui empêchait une attaque efficace. C'eût été facile de le surprendre endormi, mais près de quel feu ? Un assaut nocturne contre un homme armé représentait un trop grand risque. Et la consigne était stricte : il devait rester en vie pour subir une punition exemplaire destinée à terroriser ses codétenus…

Louskass, qui semblait être le plus pressé d'en finir, projeta alors de laisser Almaz attaquer le fugitif. Vassine s'y opposa, avec cette fermeté calme que j'admirais en lui : « Camarade capitaine, ce bonhomme doit être un bon tireur. Il abattra le chien. En plus, il a une baïonnette qu'il a volée à ses gardes. Regardez cette encoche… » Il indiqua un tronc de bouleau mort, qu'une lame avait écorcé pour récupérer son épiderme blanc, si utile pour faire un feu rapide. Louskass tâta l'arbre. « Ça, je pourrais vous le faire avec un canif. » Vassine insista : « Peut-être. Mais pas cette coupe-là… » Il plongea son index dans une entaille qui laissait voir la solidité de la lame. À court d'arguments, Louskass émit un petit rire glacé. « Bon, si votre cerbère a peur d'être égratigné… » Il n'aimait pas être contredit.

Nous reprîmes notre traque, espérant que l'évadé ne tarderait pas à être rattrapé par la fatigue. Boutov l'exprima avec sa bonhomie coutumière : « Vous verrez, un de ces quatre matins, ce gars, on va le cueillir en train de roupiller sous un sapin. On n'aura même pas à lui tirer dessus. Attendons un peu… »

Dans ses paroles, je devinai ce que nous tous, à l'exception de Louskass, ressentions durant cette première étape de la poursuite. Après un rodage physique, ce n'était plus du tout désagréable d'avancer dans une belle forêt vierge, traverser les courants où l'eau avait une fraîcheur de sorbet, oublier notre vie d'avant. Notre équipée était bien plus reposante que les exercices destinés à nous familiariser avec la guerre atomique… Seule la présence sourcilleuse de Louskass nous empêchait de nous laisser aller au plaisir de cette aventure.

L'évadé dut déchiffrer notre tactique. Il avait compris qu'il nous fallait le prendre vivant et que le chien ne serait pas lâché à ses trousses, mais surtout que personne parmi nous n'avait hâte de s'exposer à ses balles. Il ne donnait pas l'impression de vouloir nous distancer ni de se réfugier dans une cache, ce qui eût été facile au milieu des collines et des écheveaux de cours d'eau. Non, il progressait le long de la berge de l'Amgoun, passant dans la forêt quand les terrains marécageux rendaient cette marche riveraine impossible, traversait des petits affluents et, pour la nuit, choisissait un lieu assez exposé où nous ne pouvions pas l'aborder sans être vus. Dans l'obscurité qui, d'une encre de plus en plus épaisse, remplissait la taïga, s'allumaient ses feux de bois – des appâts lumineux pour ceux qui seraient venus l'attaquer.

« Je suis sûr qu'il ne dort pas là », me dit Vassine, un soir.

J'imaginai un corps roulé en boule dans le renfoncement d'un rocher, un gars vêtu d'un habit usé de prisonnier, un fuyard épuisé par la traque et n'espérant aucune aide. Un homme aux abois, totalement seul. Malgré moi, je ressentis pour lui non pas de la sympathie mais cet attrait qui devait unir, dans les temps immémoriaux, deux solitaires se croisant dans une forêt sauvage.

Le lendemain, Louskass nous réveilla, aboyant cet ordre : « Ouvrez vos sacs ! »

Nous dormions sous deux tentes, l'une abritant Boutov et Louskass, l'autre, moi, Ratinsky et Vassine. C'est ce dernier, toujours avec beaucoup de sang-froid, qui demanda : « Camarade capitaine, nous les ouvrons dix fois par jour. Qu'est-ce qu'on peut y trouver, à part nos nippes et nos boîtes de conserve ? » Louskass le fixa de son regard métallique. « C'est ce que je vais voir, sergent Vassine. Et je n'oublie jamais ce que j'ai vu ou entendu… »

Ratinsky, avec une dextérité surprenante, étala le contenu de son sac à dos. Moi, accablé de mon statut de suspect, je m'empressai de prouver mon innocence. Vassine le fit sans se dépêcher, l'air de satisfaire le caprice d'un enfant. Louskass inspecta nos affaires, puis se tourna vers Boutov, comme si le commandant avait dû, tout naturellement, subir le même contrôle.

Boutov se figea, tel un taureau sur le point de charger, le rouge montant à son cou. Leur face-à-face, en quelques secondes, révéla la détestation réciproque que pouvaient ressentir un officier ayant vécu le feu des combats et un responsable du contre-espionnage furetant dans les états-majors. Il aurait mieux valu que Louskass eût l'insolence d'exiger la fouille – Boutov se serait emporté, l'aurait envoyé paître, nous libérant de cette oppression sournoise. Mais Louskass se taisait, attendant que l'autre explose et lâche un propos politiquement condamnable…

Vassine devina ce calcul et, sur un ton de curiosité débonnaire, demanda : « Camarade capitaine, dites-nous ce que vous avez perdu, ce sera plus simple pour le retrouver... »

Louskass le toisa et souffla entre ses dents : « Je n'ai rien perdu, sergent Vassine. Mais quelqu'un m'a volé mes jumelles Zeiss. » Il baissa la voix et, comme pour nous faire comprendre la gravité du forfait, ajouta : « Des verres avec un traitement antireflet... » Vassine soupira : « Ah, si c'est antireflet, ça change tout ! » et il me lança un rapide sourire en coin.

Ratinsky, en détective bénévole, saisit la chance de se distinguer : « Mais quand avez-vous constaté le vol, camarade capitaine ? » Louskass, d'habitude imperturbable, sembla gêné. « Hier soir... J'étais sur une colline. En observation... Et... j'ai eu une urgence. J'ai accroché les jumelles à un arbre, j'ai... bon, j'ai fait ce que j'avais à faire. Et quand c'était fini, les jumelles avaient disparu. Je m'en suis aperçu seulement ce matin... »

Boutov ne rata pas sa revanche : « La prochaine fois, capitaine, quand vous aurez une urgence, je veux dire l'envie de déféquer sur une colline, je mettrai Gartsev en faction, sous l'arbre où vous aimez, en pareils cas, accrocher votre optique. Et maintenant, si vous croyez qu'on va se taper une journée de marche pour revenir chercher votre joujou, ne comptez pas sur nous ! »

Louskass le dévisagea avec haine mais ne répliqua pas…

À minuit, je montais la garde et, à la relève, Vassine me confia : « Tu sais, il n'a pas perdu ses jumelles, non. Hier, avant de me coucher, je l'ai vu au bivouac, il les avait toujours et surveillait les feux de l'évadé… Donc quelqu'un les lui a piquées pendant qu'il dormait. Mais qui ? »

La disparition du « joujou » aurait dû rendre notre poursuite plus difficile. Pourtant, le fugitif ne devint pas moins repérable et la distance qui nous séparait n'augmenta pas. La seule conséquence de ce vol fut plutôt comique : chaque fois que Louskass s'éloignait pour une « urgence », j'échangeais avec Vassine un regard entendu, faisant mine de me mettre au garde-à-vous sous l'arbre où l'officier faisait ses besoins.

Les occasions de nous relâcher se firent rares. Se sentant ridiculisé, Louskass sévissait, nous imposant des manœuvres d'encerclement aussi harassantes qu'inefficaces, nous obligeait, la nuit, à monter la garde à deux et même, parfois, m'ordonnait de ramper en direction du fugitif – « pour le harceler et le priver du sommeil ».

Au sixième jour, Boutov, écarlate de colère, tonna : « Écoutez, capitaine, vous commencez à nous les casser ! Compris ? » Louskass eut un petit sourire inattendu, fin comme une lame. « Je vous ai bien compris, camarade commandant. J'en prends note pour mon rapport. »

Le mot fut dit, nous rendant muets. Un rapport où, en un paragraphe, le destin de chacun pouvait être scellé : blâme, dégradation, prison. Boutov respira pesamment, se mordillant les lèvres, telle une bête dont on a encore raccourci la laisse. Vassine, comme souvent, chercha à apaiser la tension :

« Camarade capitaine, pourrais-je vous parler d'une bizarrerie qui m'inquiète ? Voilà… Ça va faire une semaine que nous le traquons, ce fuyard. Et il reste toujours ni trop loin ni trop près de nous. On le voit, sans le voir, tout en le voyant…

– Où voulez-vous en venir, sergent ?

– De deux choses l'une. Ou bien il est très faible et n'arrive pas à nous semer – après tout, au moment de l'évasion, il a pu se faire une foulure… Ou bien il est très fort et alors…

– Et alors, quoi ? Il s'amuse à nous faire découvrir la taïga ? Votre supposition ne tient pas debout. "Trop près, trop loin"… La vraie question n'est pas là. Nous avons un but : arrêter un criminel. Point. Demain, très tôt le matin, au moment où il aura le plus sommeil, nous essayerons de l'appréhender. Vous, Vassine, vous ouvrirez la marche avec le chien. Ratinsky vous suivra le long de la rivière et nous resterons à l'arrière pour prévenir la fuite. Réveil à trois heures trente. »

85

La nuit, de garde avec Vassine, je le grondai doucement : « Tu pensais bien faire, Mark, avec tes conjectures, je sais. Mais Louskass en a profité pour nous coller cette opération stupide qui va nous crever. D'ailleurs, je n'ai pas compris, tu crois vraiment que le prisonnier se joue de nous ? »

Assis devant le feu, il jetait dans les flammes des branches de feuillus qui brûlaient médiocrement mais répandaient une épaisse fumée, nous protégeant des moustiques.

« Je crois que c'est un type très intelligent. S'il avait voulu nous échapper, il l'aurait fait depuis longtemps.

— Mais, malin comme il est, pourquoi ferait-il tout ce cirque ?

— Ce "cirque" peut lui sauver la vie. Réfléchis, Pavel. Si, dès le premier jour, il nous avait filé sous le nez, nous serions rentrés bredouilles et le commandement aurait lancé une nouvelle traque, avec plusieurs équipes et peut-être même un hélicoptère. On l'aurait pris. En revanche, tant que nous ne sommes pas de retour, la direction du camp pense que nous allons le ramener d'un jour à l'autre... Et le temps joue pour lui.

— Ce n'est pas bête, ce que tu dis. Mais pourquoi tu ne l'as pas expliqué à Louskass ? »

Vassine répondit par un toussotement sourd, poussant une autre brassée dans le feu. Puis me fixa avec une intensité peinée.

« Parce que je comprends ce fugitif. Dans le camp où j'ai passé quatre ans, j'ai rêvé cent fois par jour de m'évader. Je ne l'ai pas fait. Lui, il a osé. S'il va falloir lui mettre la main au collet, nous le ferons, nous sommes dans l'armée. Après tout, c'est peut-être un assassin. Mais si j'apprends que c'est un prisonnier politique, là, Louskass aura du mal à me convaincre... »

Il se tourna, tapota sur le flanc du chien qui dormait dans son ombre. « Il est un peu fatigué, mon Almaz. Et il bouffe trop. Je ne sais pas comment il réussit à attraper tout ce gibier. Regarde ce coq de bruyère... »

Je soulevai l'oiseau à moitié dévoré, m'étonnant que de son ventre sorte une touffe d'herbe. J'allais interroger Vassine à ce propos quand le craquement d'une branche nous mit aux aguets. Ratinsky surgit, non pas du côté des tentes mais remontant de la rive. « Vous feriez mieux de rester vigilants au lieu de bavarder », lâcha-t-il sèchement avant de disparaître.

Dans le regard de Vassine, je devinai ma crainte : « Nous a-t-il entendus parler du prisonnier politique ? Et si oui, va-t-il nous dénoncer à Louskass ? »

De nouveau, je sentis en moi un frisson de lâcheté, la présence du « pantin de chiffon » qui me suggérait l'obéissance, l'effacement de toute parole imprudente, en fait, le bannissement de tout ce qui nous rendait vivants.

Dans l'obscurité, nous nous approchâmes du refuge de l'évadé bien plus près qu'à portée de tir. L'entremêlement du branchage laissait voir trois taches de braise qui localisaient, peu ou prou, la présence de l'homme. Les feux étaient certainement des leurres, le fuyard passant la nuit à l'écart. Pourtant, après une minute d'observation («Ah, si j'avais mes jumelles!» maugréa Louskass), nous finîmes par distinguer une forme sombre, allongée au centre du triangle. «C'est lui, souffla Ratinsky. Maintenant, l'essentiel est de ne pas le réveiller…»

Nous avançâmes en file serrée. Le chien émettait de temps en temps des geignements à peine audibles.

Un courant nous barra le chemin à une cinquantaine de mètres du but. Dans la première pâleur du matin, nous voyions mieux les feux et, sous un auvent rocheux, le cocon de l'évadé, toujours immobile. En silence, Ratinsky souleva son fusil, indiquant d'un mouvement de menton l'homme endormi. Nous comprîmes l'idée : blesser le prisonnier, lui enlevant toute possibilité de résistance. Louskass secoua la tête dans un refus énergique : difficile de bien viser dans l'obscurité. Quant à traîner un cadavre à travers la taïga, c'eût été une trop rude corvée. Mais surtout, le chef du camp exigeait un captif bien en vie, capable de parler sous la torture et d'être exécuté de façon exemplaire.

Les bords du courant étaient escarpés et le flux paraissait très rapide. Louskass me fit signe de descendre et de chercher le gué mais, au même moment, Vassine entraîné par Almaz découvrit un autre passage : deux troncs ébranchés, serrés l'un contre l'autre, formaient une étroite passerelle. En agitant son index dans l'air, faute de paroles, Louskass nous expliqua le plan de bataille : Ratinsky ferait la traversée le premier, suivi de Boutov. Arrivés au campement, ils se jetteraient sur le fuyard, pendant que lui-même, Louskass, préviendrait la possible fuite vers les rochers. Moi, je garderais l'entrée de la passerelle et, tant qu'à faire, nos bardas, trop encombrants pour l'assaut. Vassine avec le chien surveillerait le torrent, car l'évadé pouvait se sauver à la nage...

Cet exposé terminé, Boutov se renfrogna et, repoussant Ratinsky, s'engagea le premier. Louskass dédaigna ce changement.

90

L'arrière-pensée de son plan était claire : Boutov et Ratinsky allaient se saisir du criminel et c'est lui, Louskass, qui arriverait en triomphateur. Mon rôle de supplétif était minime et, en cas de besoin, on pourrait me rendre responsable de l'échec. Vassine, surveillant les berges, était à peine mieux loti que moi...

Boutov, Ratinsky et Louskass progressaient lentement, tâtant du pied la solidité de la construction. Chacun tenait son fusil, telle une perche de funambule. Les troncs, longs et massifs, n'avaient pas l'air de bouger sous leur poids.

Je me disais que l'assaut donnerait lieu soit à un corps à corps violent, soit à une reddition molle d'un homme à bout de souffle, soulagé de ne plus avoir à se battre. Avec une ardeur irréfléchie, je me surpris à lui souhaiter cette seconde issue, et quand je voulus comprendre pourquoi, me revint étrangement ce brin de fleurs jaunes accroché à une branche, la marque fragile de sa fuite vers la liberté...

Boutov se trouvait presque à l'extrémité de la passerelle quand, soudain, il sursauta, lança un juron et frappa le tronc d'un coup de talon comme pour écraser un serpent. Ratinsky s'écarta, essayant d'éviter ce gros corps déséquilibré, mais fut cogné par le fusil de Boutov. Ils plongèrent dans le torrent ensemble. Louskass d'abord résista à la secousse et, penché au-dessus du vide, s'agita frénétiquement, avant de tomber, d'une manière moins désordonnée que les autres. Disparus dans les tourbillons du courant, ils resurgirent une vingtaine de mètres plus loin, se débattant, s'accrochant qui à une pierre, qui à une branche…

Avec Vassine, je les retrouvai sur une grève de sable, là où la rivière s'élargissait et pouvait être traversée à gué. Là où nous aurions dû la traverser… Boutov continuait à jurer, en maudissant « cette saleté de mélèze » qui avait cédé sous son poids. Ratinsky parcourait la rive, dans l'espoir de repêcher les fusils. Louskass vérifiait fébrilement les cartes et les documents dans son sac…

Nous remontâmes vers le bivouac de l'évadé sans vraiment compter l'y revoir. Les feux étaient éteints et le cocon que nous avions pris pour un corps étendu se composait de ramures de sapin, imitant la silhouette d'un homme endormi… Le secret de la passerelle s'expliqua facilement : son extrémité avait été posée sur deux pierres lisses, de façon à faire glisser les troncs dès qu'un pied pèserait sur cette bascule. C'était un piège, simple et peu détectable. Mais que j'aurais dû détecter !

Louskass l'annonça sur un ton cinglant : « Je vous ai donné l'ordre de sécuriser notre passage ! C'était votre devoir de prévenir la possibilité d'un accident technique… » En l'écoutant, je compris que Vassine avait raison : oui, tout échec me serait imputé, car tel était mon rôle dans notre distribution. Je compris surtout que des accusations aussi peu justifiées montraient que Louskass commençait à perdre la maîtrise du jeu. Lui-même en fut conscient et, retenant sa colère, ordonna : « Pour racheter cette faute grave, vous serez bien avisé de récupérer les fusils perdus à cause de votre négligence. »

Je plongeai dans le torrent une douzaine de fois. L'eau était glaciale, le flux très rapide et la profondeur, dans ce goulot bordé de roches, atteignait au moins quatre mètres. Vassine me retenait avec une corde qu'il tirait, m'aidant à sortir. Il avait préparé un grand feu pour que les naufragés fassent sécher leurs vêtements et que je puisse me réchauffer après chaque tentative. Je grelottais, écoutant les indications de Louskass : sonder le courant plus près de la berge opposée, contourner un arbre immergé, inspecter une crevasse… Les fusils restaient introuvables. Il m'aurait fallu un équipement de plongée.

À la fin, même les flammes ne parvenaient plus à calmer mes frissons. Boutov qui venait d'enfiler son uniforme bien sec lâcha : « Bon, Gartsev, arrêtez. On ne pourra pas les remonter. Venez, chauffez-vous ! » Louskass souleva le menton, s'apprêtant à émettre un contrordre, mais Vassine le devança : « Camarade capitaine, si Gartsev tombait malade, cela nous retarderait terriblement. Il nous reste deux fusils et trois pistolets. Cela sera quand même suffisant pour arrêter le criminel...»

Louskass répondit, ne cachant pas sa mauvaise joie : «Oui, peut-être. À condition de vouloir vraiment l'arrêter. Même s'il s'agissait d'un "prisonnier politique", comme disent certains...»

Le soir, je montais la garde en compagnie de Vassine. Le vent apportait une odeur un peu amère qui nous laissait deviner la présence lointaine de l'océan.

«En marchant vers le nord, murmura Vassine, on atteindrait le littoral en trois jours, peut-être quatre...» Il inspira profondément, les paupières fermées, et je crus voir ce qu'il était en train d'imaginer – la taïga s'éclaircit, s'emplit de lumière et, soudain, s'écarte devant un infini brumeux où disparaissent nos peines et nos peurs. Surtout cette peur-là : Ratinsky avait surpris notre conversation, la nuit passée, ce mot imprudent sur le prisonnier politique, et il nous avait dénoncés à Louskass... Nos paroles pouvaient être interprétées comme une atteinte à la sûreté de l'État, il suffisait de bien ficeler le dossier de l'accusation.

Nous le savions. Mais la brise venant du Pacifique rendait cette menace vague, indifférente... À mi-voix, Vassine lança dans l'obscurité : «Eh, Ratinsky, petit flicard! Derrière quel sapin tu te caches? Viens ici, au lieu de te les geler dans le noir!» Il n'y eut, naturellement, pas de réponse, pourtant, cette gaminerie marqua une toute nouvelle sensation d'affranchissement: la possibilité de nous lever et d'avancer vers le nord, sans autre but que la source de ce vent frais et amer, là-bas, dans l'éternité vivante de l'océan...

Vassine secoua la tête, émergeant de ce rêve qui, pour la première fois, ne nous semblait pas parfaitement fantaisiste.

«Il somnole tout le temps, mon Almaz, soupira-t-il, caressant le dos du chien endormi.

– Il doit être fourbu de courir du matin au soir, non?

– Non, ce n'est pas la fatigue, objecta Vassine. Tu te souviens, je te disais qu'il réussissait à attraper pas mal de gibier... Et ce n'est pas un chien de chasse!

– Alors comment fait-il?

– Quelqu'un lui en donne. Mais oui, Almaz trouve sur la piste tantôt une perdrix, tantôt un lièvre...

– Attends... Tu veux dire que le... fuyard le nourrit?

– Oui. Ou plutôt, il le neutralise. Regarde cette herbe dont il bourre ses cadeaux. Les gens d'ici appellent ça "dremnik", l'herbe à sommeil. Ils en font des tisanes...

– Mais comment l'autre parvient à abattre tout ce gibier?

– Il met des pièges. Un peu comme pour la passerelle. Des trucs plus ingénieux, bien sûr. Les bêtes sont moins stupides que nous. »

Il sourit et, soudain, dans un vrai élan de tendresse, serra sa joue contre le museau du chien. « Dors, Almaz. C'est mieux que d'aller déchirer ce pauvre gars qui essaye de se sauver... »

À mon insu, j'allais retenir cette étreinte et la voix triste de Vassine. Avec l'intuition qui nous lie à des êtres proches, il devait pressentir le sort de son chien.

Le lendemain matin, Louskass m'ordonna de grimper sur une hauteur qui surplombait notre bivouac et de lui rapporter «l'aperçu topographique le plus exact possible». Une formule vide de sens, il le savait, mais comme la conduite de notre équipée lui échappait, il jouait les grands stratèges.

La colline, couverte des pins nains d'un stlanik, promettait une escalade ardue et je décidai de ne pas me presser. Louskass pouvait me faire revenir sur mes pas, comme c'était déjà arrivé, en disant qu'un changement de situation rendait ma mission inutile...

À mi-chemin de la montée, je m'arrêtai pour reprendre mon souffle. Je dominais à présent la densité de la taïga, ce plateau végétal hors de toute mesure. Vu de haut, ses coloris – vert, gris, ocre, violet – marquaient mieux le relief, formant des courbes, des zébrures, des alternances d'ombres et de luminosité. Pourtant, cette étendue sans rivages restait unie jusqu'à l'horizon, transpercée seulement, çà et là, de scintillements sinueux : des affluents de l'Amgoun.

J'étais en train de relever cet « aperçu topographique » quand, tout près de moi, une branche ondula et le silence qui suivit me parut plus complet qu'avant. Était-ce ma respiration suspendue ou bien l'immobilité de la bête qui venait de se trahir ? Cette fixité me fit mieux appréhender la profondeur de la forêt où se trouvaient présents ces deux êtres si peu distants l'un de l'autre : moi et cette bête… Ou cet homme ?

Au bout d'une minute, je chargeai mon fusil et avançai, essayant de me fondre dans cette forêt basse dont les arbres dépassaient rarement ma taille. Quel animal pouvait se tapir derrière ce moutonnement de pins ? Un lynx ? Un ours ? Ou bien un carnassier plus rare – une once, ce léopard des neiges que Boutov disait avoir chassé, un félin sournois qui exécute des sauts de huit mètres de long. Ou encore un tigre d'Oussouri. Mais remontait-il jusqu'à cette région, jusqu'à l'Amgoun ?

Je savais que les bêtes évitaient la rencontre et j'étais certain que leur fuite, au milieu de ces pins bas, aurait été facile à détecter. Mais rien ne bougea. Donc, ce pouvait être un homme. Le seul homme qui m'intéressait !

J'oubliai la pitié que j'avais pu ressentir envers l'évadé. L'occasion était trop belle de le capturer, de le livrer aux autres, à Louskass surtout. Un tel trophée me réhabiliterait définitivement ! Arrêter ce criminel, être récompensé, décoré, enrichir ma vie d'un épisode glorieux. Revenir dans le confort des jeux humains. Revoir Svéta… Ces idées, emmêlées, battaient mes tempes d'une pulsation excitante. J'étais prêt à écraser le visage de l'homme contre le sol, à l'empêcher de respirer…

Me faufilant entre les arbres, je débouchai sur une clairière. Et avant de comprendre ce que je voyais, je faillis faire feu.

Une blouse grise, accrochée aux branches, laissait ondoyer ses manches. Son tissu usé portait une longue déchirure. Progressant d'un pas, je distinguai des points de couture et une grosse aiguille qui pendait à son fil…

Subitement, je me sentis observé. Une intuition animale, indémontrable, sûre. Un regard me figeait et me privait de toute volonté. J'imaginai un fusil me mettant en joue ou, plus probable, le glissement d'une baïonnette sur mon cou.

Telle une toupie désaxée, je pivotai à droite, à gauche, essayant de voir ce qui se cachait dans mon dos, braquant mon arme sur ma propre ombre, reculant, me prenant les pieds dans les racines et n'entendant même pas mon chuchotement fébrile – une suite confuse de menaces destinées à un ennemi invisible.

Je dévalai la pente dans cette rotation effrénée, avec la conviction de protéger ce précieux «pantin» qui concentrait, en moi, toutes mes chances de bonheur. C'est lui qui me rendait peureux, lâche, prêt à tout raconter à Louskass…

Mon rapport se composait au rythme de mes enjambées : «Camarade capitaine, le prisonnier est en train de traverser ce stlanik, il faut lancer une battue immédiate !»

Une voix m'interpella, encore loin de notre halte. C'était Louskass et il semblait m'attendre au milieu des arbres.

«Alors, Gartsev, qu'avez-vous vu ?»

Ma gorge se noua. «Camarade… capitaine… j'ai…» La vision d'une blouse avec une déchirure à moitié recousue me revint. La blouse grise du prisonnier. Un homme épuisé, torse nu, se cachant derrière des branches…

«J'ai… je n'ai rien vu, camarade capitaine… L'affluent que nous aurons à traverser est à trois kilomètres, à peu près…»

Louskass me scruta de son regard d'acier bleu et, au lieu du dédain habituel, je crus y voir un bref égarement. Il se ressaisit, retrouvant sa supériorité haineuse : « Donc, j'ai bien compris ? Vous n'avez rien vu ? Aucune trace ? »

L'idée qu'il eût pu m'avoir emboîté le pas – et avoir découvert la même chose que moi – me coupa la respiration. Mais déjà, avec un soulagement à la fois désespéré et exaltant, je répétais, sur un ton plus ferme : « Non, rien, camarade capitaine. L'évadé, fourbu comme il est, doit éviter les collines. »

Au bivouac, Louskass appela Vassine : « Sergent, comme notre éclaireur (il me désigna d'un coup de menton) n'a rien relevé de suspect, vous allez lâcher le chien… Je vous dis – vous lâcherez le chien ! Et pas de "mais", c'est un ordre. »

Louskass ne m'adressa plus la parole de toute la journée et son silence semblait signifier ma condamnation : il m'aurait suivi sur la colline, aurait vu la blouse grise… Le « pantin » tremblait, me contaminant de son angoisse. Pour m'en défaire, j'imaginai le prisonnier qui s'approchait furtivement de son vêtement, retirait l'aiguille à coudre, s'habillait… Étrangement, ce geste me donnait une puissante sensation de délivrance.

L'évadé ne changea pas d'itinéraire, longea le cours de l'Amgoun, trouva le gué sur un affluent, revint vers la rive. Le soleil rasait les sommets des arbres quand Almaz s'anima, reniflant le sol avec une passion de chasseur. Vassine fut obligé de trottiner derrière lui, Ratinsky pointa son fusil sur une cible qu'il croyait proche. Louskass se retenait de courir mais l'on voyait que la capture imminente le rendait fébrile.

« Ils découpent déjà la peau de l'ours… », grommela Boutov qui, vu sa corpulence, peinait à tenir cette cadence d'assaut. La peau de l'ours… Il ne croyait pas si bien dire. Pour justifier sa lenteur, il me proposa : « Écoute, Gartsev, nous allons rester en arrière pour bloquer ce gars, au cas où le chien le rabattrait sur nous. Mais, en fait, il faudrait toute une meute pour le coincer, ce n'est pas un bleu… Attends un moment, j'ai un truc à régler. »

Je le vis s'éloigner vers un ruisseau, s'accroupir derrière un arbuste. Je me détournai pour ne pas le gêner… Les poursuivants nous devançaient d'une centaine de mètres et je me figurai de nouveau le prisonnier vêtu de sa blouse déchirée, un homme sur lequel se resserrait la nasse de la traque.

Boutov réapparut, l'air rasséréné et le visage rosi. « Bon, on y va, Gartsev. La vie est belle et… comment il disait déjà, Gorki ? Oui, c'est ça, belle et surprenante ! »

Je sentis dans son souffle une nuance volatile, piquante, où je ne soupçonnai pas l'alcool car s'en procurer ici semblait impensable. Sa bonne humeur me rendit presque heureux : nous marchions au milieu d'une forêt embaumée de résine, le ciel était clair, il ne faisait pas trop chaud et la halte du soir était proche.

Le premier coup de fusil nous prit au dépourvu – Boutov me regarda, comme pour voir si j'avais entendu la même chose. Mais un nouveau tir retentissait, multipliant les échos, puis un autre, un autre encore… Nous nous mîmes à courir.

Arrivé sur les lieux, avant Boutov, je vis Ratinsky qui brandissait le fusil à la manière d'une pique et criait à tue-tête : « C'était un ours ! J'ai tué un ours ! Même deux, je crois. Là-bas, ils sont là-bas ! »

Nous le suivîmes sur un sentier où il s'engagea. Louskass sortit son pistolet, Boutov, nous rattrapant, fit de même. Je me préparai aussi à tirer. Un ours, non, deux! Peut-être juste blessés et donc d'autant plus dangereux...

Descendus vers un cours d'eau envasé, nous vîmes une masse sombre, cachée sous les fougères. La bête me parut peu impressionnante. Un ourson? Vassine s'en approcha et du bout de sa botte souleva l'une des pattes. Elle retomba mollement.

« Vous avez tué un glouton, camarade sous-lieutenant, dit-il avec un sérieux dissimulant à peine l'ironie. Un beau mâle... »

Comme pour éviter d'être trop cruel avec ce crétin de Ratinsky, il ajouta : « De loin, le glouton ressemble à un ours. Le même museau, la même démarche... Et le second, alors? C'était sa femelle, sans doute... »

Nous avançâmes le long du ruisseau et, soudain, repoussant tout le monde, Vassine s'élança à travers les broussailles. J'entendis son cri sourd, puis un violent gémissement, celui d'une douleur dont on n'a pas encore sondé toute l'intensité.

Nous le retrouvâmes au milieu des buissons de lédon, à genoux, la joue serrée contre la poitrine d'une bête. Sûrs d'avoir devant nous un autre glouton, nous mîmes quelques secondes à comprendre qu'il s'agissait d'Almaz.

Vassine se releva, fit un pas vers Ratinsky et, sans un mot, le frappa, en plein visage. Le sous-lieutenant s'agrippa aux branches et s'épargna la chute. Le fusil qu'il tenait tomba. Se redressant, il hoqueta d'indignation : « Tu passeras en conseil de guerre... Tu pourriras dans un camp ! » Et il se mit à dégainer son pistolet. Boutov arriva sur les lieux à ce moment-là et sa voix claqua avec une autorité menaçante : « Bas les mains, sous-lieutenant ! »

Ratinsky obéit mais ce fut Louskass qui se hâta d'ajouter : « Sergent Vassine, vous êtes en état d'arrestation. Rendez votre arme ! »

L'arme, ce fusil au chargeur vide, traînait aux pieds de Ratinsky. Quant à Vassine, il semblait ne rien avoir entendu et, revenant vers le chien, se remit à genoux, essaya de comprimer le sang qui coulait de la poitrine d'Almaz. Il paraissait absent, indifférent à ce qui pouvait lui arriver.

« Cette nuit, vous lui entraverez les mains et les pieds », m'ordonna Louskass. Vassine se redressa et alla vers Boutov. Je crus qu'il voulait exiger d'annuler la sanction, mais il demanda : « Camarade commandant, permettez-moi d'enterrer le chien. » Boutov opina, puis annonça, se tournant vers nous : « Venez, il faut qu'on regagne l'Amgoun... »

Je vis Vassine porter Almaz sur un escarpement sableux de la berge... Il nous rejoignit au bivouac où Ratinsky avait pris le soin de préparer deux bouts de corde.

La nuit, en « gardant » Vassine, je le libérai de ses entraves et cherchai à retrouver le ton amical et léger de nos conversations nocturnes. Il répondait à peine, retombant dans un silence dont je ne parvenais pas à rompre la pesanteur.

« Il pense à son chien », me disais-je, surpris par une souffrance qui semblait disproportionnée. Surtout qu'il venait de reconnaître, un peu à contrecœur : « Perdre Almaz, c'est une chose. Mais… Ratinsky aurait tiré de la même façon sur l'évadé. Pour lui, il n'y a pas de grande différence… »

Je trouvai dans ces paroles le moyen de le sortir de son repliement : « Justement, Mark, tu devrais penser à ce qui serait arrivé à Almaz après notre retour. Repris par les matons, il aurait passé sa vie à aboyer contre les détenus et, à chaque tentative d'évasion, à leur planter ses crocs dans la gorge ! Au moins il a bien vécu ces derniers temps – en pleine nature et non pas derrière les barbelés. Et il n'a fait de mal à personne ! »

Vassine secoua la tête et, tous deux, nous regardâmes les trois points lumineux suspendus dans le noir – les feux que le fuyard avait allumés, à un kilomètre de notre bivouac.

« Ce chien, tu vois, Pavel… Déjà je n'avais pas beaucoup d'attaches dans la vie… »

Sa voix s'éclaircit – mon argumentation avait dû le soulager. Pas d'attaches… Comme cet évadé dans la nuit.

Ratinsky surgit pour me relever et, remarquant les entraves enlevées, m'ordonna de tout remettre en place. Je les nouai, le plus librement possible. Vassine eut un petit sourire, en chuchotant : « Les voilà, mes attaches… »

Les ordres de Louskass finirent par perdre toute cohérence. Il ne cherchait plus qu'à dissimuler sa confusion. Et aussi sa peur. Vassine m'en avait parlé, quelques jours auparavant : « Il ne tourne pas rond, notre chasseur d'espions. Je pense qu'il a tout simplement la trouille. C'est un citadin et, pour lui, affronter la taïga, ce ne doit pas être très rassurant... »

Je me souvins qu'au moment où Ratinsky avait levé les deux « ours », Louskass s'était tenu à l'écart, prêt à fuir. Au milieu des cris et des coups de feu, sa couardise était passée inaperçue...

Une nuit, il nous réveilla bien avant le lever du soleil et, comme pour nous mettre au défi de protester, déclara : « Vous prendrez votre petit déjeuner après l'opération ! » Ratinsky bondit, désireux de se faire bien voir par celui dont son avancement dépendait. Vassine et moi, nous ne pouvions pas nous permettre le luxe d'une rébellion. Seul Boutov grogna, se retournant sur sa couche : « Capitaine, emportez des bouchons en caoutchouc ! Pourquoi ? Mais parce que ce gars va vous canarder, par-devant et par-derrière, vous boucherez les trous. Et maintenant, foutez-moi la paix avec vos offensives à la con ! Napoléon de mes deux... » En partant, nous entendions ses ronflements – il ne cherchait plus à cacher son aversion pour Louskass.

Nous passâmes plus d'une heure à tâtonner dans le noir, effarouchant les bêtes qui se sauvaient et nous laissaient plus effrayés qu'elles. À plusieurs reprises, Ratinsky, armé du fusil confisqué à Vassine, avait failli tirer sur leurs ombres. Louskass, lui, marchait en serrant son pistolet, avec l'espoir stupide de tomber sur l'évadé tout près de notre piste.

Le plus surprenant fut que, cette nuit-là, son calcul se révéla bon ! Notre manœuvre était à ce point incongrue que l'évadé n'en avait pas prévu la possibilité. Lorsque nous surgîmes devant les feux de son campement, il venait apparemment de fuir, n'ayant même pas eu le temps d'emporter les deux gros saumons qui finissaient d'être fumés sur un treillis de branchettes...

Le jour offrait déjà un peu de clarté et, parmi les pins qui couvraient le flanc d'un vallon, nous voyions l'homme à découvert. Il marchait vite, mais sans se lancer dans une course. Son dos disparaissait sous un drôle de havresac, confectionné visiblement avec un bout de bâche. Pas très grand, de complexion assez frêle, il portait une grosse capuche qui dissimulait sa tête. Son fusil, il le tenait horizontalement sur son épaule droite, la détente vers le haut, de façon à pouvoir tirer derrière lui avant de se retourner et de viser.

« Il boite un peu, murmura Vassine. Ses bottes doivent être en charpie… » La note de compassion que je perçus dans ses paroles semblait constater l'inévitable : l'homme ne pouvait plus nous échapper, il vivait ses dernières minutes de liberté.

Il se laissa piéger en traversant un courant. Descendus sur la berge, nous le vîmes enfoncé dans l'eau jusqu'au cou, au milieu des saules qui frangeaient l'autre rive. Leur broussaille l'empêchait de remonter, le rejetant dans le flux, très soutenu à cet endroit. Il luttait contre le fouillis de rameaux, perdait pied, s'accrochait à une branche plus solide… Un voile brumeux nous le cachait parfois. Puis, dans la grisaille trouble d'avant l'aube, les secousses du feuillage le trahissaient. Sa capuche formait une cible facile à reconnaître.

C'est ce que devait se dire Ratinsky la mettant en joue. Je lançai un coup d'œil inquiet à Louskass, attendant qu'il rappelle la consigne : l'évadé devait rester en vie. Mais le capitaine ne broncha pas. Ratinsky visa, commença à presser sur la détente…

Mon cri se mêla à ma ruée sur lui : « Arrêtez ! On ne doit pas le tuer ! » Je le bousculai, il jura, me repoussa d'un coup de crosse et, reprenant sa position, tira. Dans les branchages, la tête encapuchonnée tressaillit, se figea.

Je hurlai en même temps que Vassine : « Capitaine ! L'ordre était de ne pas l'abattre ! »

Louskass répondit calmement : « C'est exact. Mais le criminel nous a attaqués, mettant nos vies en danger. Le sous-lieutenant a dû recourir à la légitime défense. Maintenant, on passe le gué et on récupère le corps. Exécution ! »

Nous comprîmes que cette « légitime défense » allait devenir la version que Louskass rapporterait au commandement.

Ratinsky descendit dans l'eau, pressé d'étaler sa proie devant le chef. Je me souvins d'avoir éprouvé cette même joie de brute sur la colline où j'avais trouvé la blouse du prisonnier... Oui, moi aussi j'avais pensé au trophée !

À présent, l'homme tué devenait pour moi tout autre, non pas à cause de sa mort mais parce que je l'avais vu marcher, tout à l'heure : une silhouette mince, ne ressemblant pas au puissant taulard que nous avions imaginé.

Le brouillard s'épaississait et c'est de sa matité cotonneuse que parvint l'exclamation de Ratinsky : « Mais où est le corps ? »

Nous nous rapprochâmes de lui, écartant la ramure des saules. Il sortait de l'eau, nu, frissonnant de froid et brandissant un bout de tissu détrempé.

« C'est sa capuche, expliqua-t-il. Mais le corps ? Je vais chercher en aval, il va refaire surface, j'en suis sûr… »

Louskass, désemparé lui-même, avança suivant le courant et, soudain, bégaya avec une candeur inhabituelle chez lui : « Et ça… C'est à qui ? Gartsev, c'est vous qui êtes passé par là ? »

Je vis des empreintes qui s'éloignaient en direction de la forêt. Mettant ma botte à côté de l'une d'elles, je constatai que mon pied dépassait de beaucoup la trace laissée par l'évadé. Vassine nous rejoignit, refit la démonstration, avec le même résultat. Ratinsky, qui grelottait près du feu qu'il venait d'allumer, demanda : « Alors, vous voyez le corps ? »

Boutov nous rattrapa à ce moment-là. D'un coup d'œil sur Ratinsky puis sur les traces du fugitif, il évalua la situation : « Le corps court toujours ! Protégez vos génitoires, sous-lieutenant, les piqûres de moustique, ça excite. »

Bien sûr, le subterfuge du fugitif était habile : accrocher la capuche sur une branche, plonger, remonter sur la rive quelques mètres plus bas, à l'abri des broussailles. Ce fut, pourtant, un expédient désespéré, son baroud d'honneur à la mort.

« Tu as regardé ses empreintes ? murmura Vassine. On voit la marque de ses orteils, il marche presque pieds nus… »

Plus grave encore pour lui était le fait que désormais nous sachions qui il était. Non pas un redoutable trappeur mais notre semblable, vêtu de hardes usées, un homme physiquement assez moyen et qui, en dévoilant ses astuces, nous les apprenait une à une.

Dès lors, la vraie poursuite commença, une traque rapprochée, celle qui réveille, chez l'homme, son instinct de prédateur.

Nous piétinâmes le feu et partîmes aussitôt. Le fuyard avait dû aussi perdre du temps à se chauffer, lui qui avait plongé tout habillé. À l'endroit où il venait de faire une courte halte, les braises n'étaient pas encore refroidies et dans l'herbe, argentée de rosée, un trait sombre indiquait clairement un passage tout récent… Nous mangeâmes sans nous arrêter, soucieux de maintenir le rythme qu'il ne parvenait plus à tenir. L'exaltation du jeu – l'imminence de la curée – me fouetta, étouffant toute conscience de l'extrême faiblesse de cet homme.

Une fois seulement, la cruauté de notre ruée me revint à l'esprit. Les traces du fuyard passèrent sur des rochers plats, calcaires. Et c'est sur la surface claire de l'un d'eux que Vassine me montra cette empreinte de pied – une marque à moitié colorée de rouge. De sang...

Malgré son épuisement, le fugitif parvint à résister jusqu'à la tombée du jour. Nous dûmes interrompre la battue pour repérer le lieu de son abri et planter nos tentes.

Jamais encore depuis le début de notre expédition nous n'avions passé la nuit si près de l'endroit où le fuyard campait. Il n'alluma qu'un seul feu, n'ayant plus la force de préparer ses leurres lumineux.

Je montais la garde, ranimant de temps en temps la flambée. À travers un début de somnolence, un pas lourd me mit en alerte. Une silhouette se balança du côté de nos deux tentes, j'attrapai mon fusil...

C'était Boutov, courbé et poussant une grognerie excédée. Il s'affala près du feu, sortit une grosse cigarette un peu tordue, l'alluma à l'aide d'un tison, tira une bouffée. Et parla, retenant sa puissance vocale de crieur d'ordres :

« Ce foutu Louskass ! Il ne me laisse pas dormir. Qu'est-ce qu'il est causant dans son sommeil ! Il radote, il radote... »

Pendant mes heures de garde, il m'était arrivé d'entendre des conversations qui provenaient de leur tente, ce que je trouvais surprenant : ces deux hommes se vouaient une haine à peine camouflée et n'avaient pas grand-chose à se dire.

Cédant à la curiosité, je murmurai comme en réponse à mes propres pensées : « Moi je croyais que vous discutiez avec le capitaine le plan de nos opérations... »

Boutov agita son index en signe de négation.

« C'est toujours lui qui parle, en répétant les mêmes foutaises...

– Des foutaises ?

– Pire que ça. Des propos de détraqué. Surtout quand il commence à crier. Il crie en chuchotant ! Et cela vous glace les sangs. Qu'est-ce qu'il crie ? Des noms, puis des bouts de formules officielles, du genre : "en application de l'article numéro tant du code pénal...". Ça lui vient de son ancien métier... Et puis, tout à coup... Enfin, là, mieux vaut ne pas l'entendre. Il a l'air de chialer, ânonnant sans arrêt la même phrase : "Ces nuques me regardent... ces nuques me regardent..." »

Boutov me jeta un coup d'œil un peu penaud puis, décidant de ne plus se cacher, sortit de sa poche une flasque, dévissa le bouchon, but une gorgée, poussa une longue expiration bruyante.

« T'en veux une goutte, Gartsev ? »

Respectant mon refus (« Je suis de garde, camarade commandant... »), il souffla, éteignant la brûlure de l'alcool, puis reprit son récit :

« Oui, c'est son passé qui le poursuit. Un peu comme nous qui courons après ce petit taulard. Pendant la guerre, Louskass luttait contre les "défaitistes" et les "éléments idéologiquement hostiles", comme on disait à l'époque. De bons officiers souvent. Il en a fusillé des centaines ! Il désignait vite fait un ennemi et, hop, le peloton d'exécution ! Sans autre forme de procès. J'en ai croisé des types qui faisaient le même sale boulot que lui. Certains, et ce devait être le cas de Louskass, préféraient tuer avec leur pistolet de service. Question de goût. Une balle dans la nuque et le dossier est clos. Sauf que, tu vois, Gartsev, même s'il tirait dans la nuque, il ne pouvait pas ne pas voir, avant l'exécution, les yeux de tous ces soldats… Et maintenant, dans son sommeil, ces regards reviennent. Il tire, les nuques éclatent mais les yeux le vrillent. Et il hurle. Jusqu'à sa mort, ces yeux le poursuivront. Et peut-être même après… »

Il but encore une gorgée mais, au lieu de pousser un soufflement d'aise, se crispa, tendit l'oreille, me faisant signe de ne plus bouger. Dans le noir, le froissement des pas dura quelques secondes puis, répondant à notre silence, s'effaça. Boutov se pencha vers moi et chuchota : « C'est ce mouchard de Ratinsky qui rôde… Lui aussi aura un jour le sommeil plein de regards qui lui demanderont des comptes… »

Sans plus baisser la voix, il grommela : « Allez piquer un petit somme, Gartsev. Je m'occupe du feu. »

Au matin, nous vîmes l'évadé lever son camp : jamais nous n'avions assisté à la scène. Se harnachant de son gros sac, équilibrant le fusil sur son épaule, il semblait résigné à être vu, distant à peine de deux cents mètres. D'emblée, il se dirigea vers la rive, plane et sableuse. Nous comprenions que, pour lui, un tel itinéraire n'était pas le meilleur s'il avait voulu avancer caché. Mais cogner ses pieds en sang contre les racines lui devenait certainement trop pénible.

Nous revoyions, à présent, à chaque boucle de la rivière, sa tête tondue, sa complexion mince, sa démarche un peu traînante… Plusieurs fois, il se retourna pour évaluer de combien se réduisait l'écart entre nous.

Vers midi, après un coup d'œil de plus qu'il nous lança, je crus qu'il allait s'arrêter, jeter son arme, se rendre…

Et c'est alors que son chemin buta contre une impasse.

La rivière faisait à cet endroit une volte serrée – en la dépassant, nous vîmes que la berge disparaissait sous un amoncellement de rochers, un escarpement haut de plusieurs mètres. Un barrage de pierres. Le fugitif hésita, entra dans l'eau en espérant le contourner, revint vers l'obstacle.

Nous ralentîmes le pas, craignant que, dos au mur, il ne s'avise de tirer et, dans la fusillade, ne tente une échappée, le long de cette paroi du roc. À mi-voix, Louskass distribua les rôles dans une savante tactique d'encerclement (« Napoléon… », pensai-je, en échangeant un bref sourire avec Vassine). Sa manœuvre prévoyait que l'ennemi reste sur place, coincé contre les rochers.

« Moi et le commandant Boutov, nous prenons position ici, car si le criminel ne se rend pas, il essaiera de filer vers la forêt. Gartsev et Vassine seront… »

Mais à ce moment-là l'évadé, déjouant cette logique, se mit à grimper sur les blocs de granit.

Une tentative sans espoir – après les premiers redans, la muraille devenait orbe et n'offrait plus aucun palier. Et surtout, cette escalade l'exposait à nos balles, sans qu'il puisse riposter…

Désarçonnés par son audace, nous arrivâmes aux abords de la paroi. Le grimpeur venait d'atteindre un replat où il ne pouvait poser qu'un pied et Ratinsky, plus fébrile que jamais, s'écria : « Camarade capitaine, permettez-moi d'en finir!» Louskass fit non de la tête, dégaina son pistolet et tira en l'air. L'évadé, suspendu au-dessus d'un vide d'une quinzaine de mètres, frémit, racla la falaise avec l'autre pied pour trouver plus d'appui… Et disparut!

Nous n'étions pas suffisamment avancés pour distinguer, d'en bas, cette faille dans la roche où, maigre comme il était, l'homme se glissa, ne laissant voir que son sac, puis se dissimulant tout entier.

«Camarade capitaine, je peux monter sur…» Ratinsky agita sa main en direction du renfoncement où l'homme se cachait. Devançant Louskass, Boutov répliqua : «Écoutez, sous-lieutenant, ce gars vous tuera dès que vous vous pointerez sous son abri. Restez où vous êtes. Que les autres me suivent.»

Louskass s'emporta, ulcéré : «J'ai commencé à commander l'opération, je la terminerai!»

Boutov se retourna : «Capitaine, vous la commanderez après, en écrivant vos rapports de garde-chiourme. Et maintenant, rangez ce pistolet et venez avec nous…»

Une seconde, je pensai que Louskass ne se retiendrait pas et lui tirerait dans le dos…

Se postant à la frontière entre la rive et les premiers arbres de la taïga, Boutov trouva la position qui permettait de voir l'homme réfugié au milieu de l'étagement des rochers. Moins d'une centaine de mètres nous séparait – bonne distance pour viser juste.

Ratinsky appuya son fusil sur une branche, prêt à exécuter l'ordre de tirer. Boutov sifflota, le menaçant de son gros index : « Sous-lieutenant, gardez vos cartouches. Le prisonnier ne va pas rester perché longtemps. Il aura faim, il s'endormira, on le prendra comme un poisson dans l'épuisette... Attendons un peu. »

Vassine et moi, nous regardâmes Louskass : la colère et l'humiliation ridaient ses joues de rapides tiraillements. Selon la formule de Boutov, il « cria en chuchotant » :

« Sous-lieutenant, commencez le tir ! »

Et il souffla entre ses dents : « J'assume le commandement *politique* de l'opération, camarade Boutov ! »

Le mot « politique » bien appuyé eut son effet : celui qui donnait l'ordre n'était plus un vague capitaine Louskass mais le représentant du régime et de sa machine répressive. Pour étayer ses paroles, il sortit son pistolet – laissant comprendre qu'il pouvait s'en servir, et pas seulement contre l'évadé.

Boutov s'immobilisa, la bouche ouverte sur un juron retenu. La peur dans laquelle le pays vivait s'incarna dans sa statue vivante : un militaire qui avait défié la mort pendant quatre ans de guerre et qui devenait un fantoche, un simple « camarade Boutov », un de ceux qu'un mot de Louskass pouvait exposer à des mois d'interrogatoires, à des tortures qui laissaient les prisonniers ongles arrachés et dents cassées, à l'agonie sous les glaces du cercle polaire…

La première balle de Ratinsky épaufra le granit à quelques centimètres de la tête du fuyard – qui se cacha, puis réapparut, et nous vîmes que son menton saignait.

« Je l'ai eu ! » exulta Ratinsky et, trop pressé, il planta deux autres balles avec moins de précision. La quatrième fit disparaître l'évadé pour un moment plus long et je crus que, cette fois, c'en était fini de lui. Mais il semblait encore vivant, en tout cas sa chemise grise surgit dans une brèche. Ratinsky tira – la chemise s'effaça, comme si l'homme était tombé, touché plus grièvement, mortellement peut-être.

« Je pense que… ça y est, camarade capitaine. Le criminel est liquidé. » Pour plus de solennité, Ratinsky se mit au garde-à-vous devant Louskass. Celui-ci eut un rictus de satisfaction mais afficha la modestie : « Oui, l'opération est terminée. Attendons quelques minutes et allons descendre le corps… »

Le rire de Boutov éclata avec la force d'un orchestre militaire. Il s'étouffait, ne parvenant pas à parler, et agitait sa main en direction du rocher. Nos regards suivirent son geste.

Derrière une grosse pierre, l'évadé se tenait debout, laissant voir sa tête tondue et ses épaules nues. « La chemise ! éructa Boutov entre deux éclats de rire. Il t'a baisé, Ratinsky, comme avec sa capuche… C'est sa chemise que tu as trouée… »

Pour cacher mon sourire à Louskass, je baissai la tête et me frottai le front. Vassine était lui aussi secoué d'esclaffements comprimés. L'astuce était la même : la chemise que l'évadé avait enlevée et accrochée, en appât, sur la pointe d'une pierre…

Soudain, Boutov se tut, avec une mine d'ébahissement admiratif. Il ne riait plus. Nous levâmes de nouveau les yeux sur les rochers. L'évadé n'avait pas changé de position mais, à présent, il serrait dans ses mains de grosses jumelles et nous dévisageait calmement. « Des verres antireflets… », chuchota Vassine, me lançant un clin d'œil.

Oui, c'étaient les jumelles de Louskass ! Rayonnant de satisfaction hilare, Boutov déclara : « Capitaine, c'est le moment pour vous d'aller chier sur une colline ! »

Louskass parut ne pas l'avoir entendu. Il me fixait d'un air qui me fit peur tant sa pupille paraissait dilatée. Son ordre m'abasourdit : « Gartsev, vous allez monter sur le rocher ! »

Je bafouillai une dénégation : « Camarade capitaine, c'est que l'évadé est armé et surtout… »

Il redressa le canon de son pistolet vers moi : « Exécution. »

Je me dirigeai vers la barrière de granit, suivi de Louskass et de Vassine qui essayait de m'éviter le danger : « L'homme est encerclé, camarade capitaine. Dans une heure ou deux... »

Le calcul de Louskass n'était pourtant pas faux. Nous escaladâmes une rangée de pierres, nous retrouvant à une cinquantaine de mètres du refuge. « Montez sur ce rebord ! » m'ordonna-t-il. J'obéis, me hissant à un mètre de plus. De là, la cache de l'évadé se découvrait davantage. Je voyais la chemise qu'il venait de remettre – le haut de son dos se dessina dans l'œilleton de ma ligne de mire.

« Tirez ! » Louskass « cria en chuchotant », avec une hargne qui s'adressait à l'homme embusqué autant qu'à moi.

Je visais le granit à un centimètre de la chemise, me jurant de ne pas devenir assassin. Aucun tir en retour ne parvint... Après deux coups, Louskass brandit son pistolet. « Si vous ratez encore... » Il avait les yeux d'un fou, oui, de celui qui, dans son sommeil, hurlait : « Ces nuques me regardent... »

Je fis semblant de viser avec plus d'application. La balle ricocha sur la roche. « Je fais ce que je peux, camarade capitaine », se plaignit ma voix, si effrayée que je ne la reconnus pas, ma voix de « pantin de chiffon ». Je savais que Louskass pouvait me tuer. Après tant d'autres...

Ainsi le mouvement qu'il exécuta me parut-il logique : il trépigna dans une colère extrême. Terrorisé, je ne m'aperçus même pas que ce geste était lié à un coup de feu venant du rocher.

Lançant un ridicule « Aïe ! Oh ! », il tomba. Sur son mollet, au-dessus de sa botte, grossissait une tache sombre…

Un blessé est toujours un blessé. Nous nous précipitâmes pour l'évacuer vers la forêt, lui offrir les premiers soins. Un garrot, le lavage de la plaie, une gorgée d'alcool que Boutov lui fit boire de sa flasque. La balle avait transpercé son mollet, nous dispensant de l'extraire.

La douleur est faite pour révéler l'homme. Louskass se montra capricieux, méfiant et surtout très douillet. Il insista pour qu'on nettoie sa blessure à l'alcool trois fois de suite. Vassine, dont le barda contenait les outils et notre trousse de médicaments, dépensa la moitié de nos réserves de pansements. Et moi, je me résignai à attirer sur ma tête toutes les accusations…

La plaie pouvait se cicatriser rapidement, mais la décision de Louskass était claire : pour éviter la septicémie, il devait rejoindre d'urgence un lieu habitable, disposant d'une infirmerie. Le choix se présentait simple : mettre fin à notre traque, rentrer bredouilles, le traînant sur une civière, ou bien le faire dériver, seul, sur un radeau, jusqu'au village le plus proche, suivant le cours de l'Amgoun... Boutov consulta les cartes. À une quinzaine de kilomètres en aval, un hameau était bien indiqué. Il suffirait donc de se laisser porter par les flots.

Vassine était déjà en train d'ébrancher de jeunes pins que je coupais avec son égoïne. Sa technique était rudimentaire : un plateau de troncs attachés avec une corde et, par-dessus, pour plus de rigidité, un second plateau, perpendiculaire au premier. Une perche, une rame taillée à la hache...

Malgré tous les détours que l'évadé nous avait imposés à travers la forêt, nous étions très proches de l'Amgoun. En une heure, Vassine y arriva avec son embarcation, descendant l'affluent que nous longeâmes en transportant le blessé.

Avant de s'installer sur le radeau, Louskass nous obligea à relaver sa plaie et à refaire le pansement. Lui qui avait si souvent tué n'ignorait pas la fragilité d'une vie et s'y accrochait avec une férocité obscène... Il exigea d'emporter l'un de nos deux fusils. « Pour ma sécurité personnelle », insista-t-il, prétendant que son pistolet de service n'était pas suffisant en cas d'attaque de bêtes. Boutov l'observait avec dégoût, en maugréant : « Si je pouvais lui donner une grenade dégoupillée... »

Son départ nous marqua non pas tant par ces exigences puériles que par le chagrin qu'exprima

127

Ratinsky. Il voyait partir l'homme qu'il désirait devenir, son double rêvé, son idéal. Prodiguant mille soins à cet éclopé chichiteux, il parlait avec une douceur triste que je n'aurais jamais pu imaginer chez lui. Cet attachement pour Louskass, un être saturé de sang, me frappa même plus que la joie de voir le radeau s'éloigner de la rive.

IV

Le soir, après le départ de Louskass, une révolution eut lieu. Boutov envoya Ratinsky monter la garde « sous la pierraille » – en contrebas de la falaise où nous croyions encore que l'évadé se trouvait embusqué. Le sous-lieutenant lui lança un regard venimeux mais ne put qu'obéir.

Le commandant s'affala près du feu, nous invitant, Vassine et moi, à prendre place. Dans une prestidigitation solennelle, il plongea une main dans son sac et en retira une bouteille d'un litre.

« Voilà ! Du pur alcool d'infirmerie. »

La bouteille était déjà bien entamée, mais Boutov, interceptant notre coup d'œil, nous rassura : « Du cent pour cent. Pour une part, vous mettez quatre parts d'eau… Et n'oubliez pas ça ! » Dans sa tasse d'aluminium, il écrasa une poignée de framboises sauvages. « Mieux qu'un porto ! »

131

Il nous restait des biscuits secs mais pas une boîte des conserves que nous mangions jusque-là. Heureusement, dans cette forêt où l'homme s'aventurait rarement, le gibier était peu farouche. Pour ce dîner, nous partageâmes une oie que Vassine venait de tuer près de l'endroit où le radeau avait été mis à flot.

L'ivresse vint vite, bavarde et libératrice, restituant ce que j'avais connu à la guerre : la camaraderie des hommes qui, frôlant chaque jour la mort, avaient besoin du regard d'un frère d'armes pour se sentir encore en vie.

Nous échangeâmes les habituelles anecdotes de soldats – histoires dépouillées de leur charge de souffrance, remaniées pour briller, telles des médailles frottées à la poudre dentifrice... Boutov raconta le franchissement du Dniepr, peignant un beau panorama de nos armées, invulnérables aux obus des Allemands. Moi, je parlai d'une ville balte où le régiment que je suivais pour mon reportage était tombé sur une cave débordant de vins. Vassine, moins bavard, évoqua la défense de Leningrad...

À l'approche de la nuit, le vent sema un crachin d'une fraîcheur déjà automnale. Nous nous réfugiâmes sous une tente, essayant de reprendre notre festin avec la même bonne humeur qu'avant. Mais l'alcool – cette inévitable gorgée de trop – apportait désormais de l'aigreur, la clairvoyance triste dont nous ne réussissions plus à repousser les aveux.

« Oui, nous l'avons franchi, le Dniepr, soupira Boutov. Sauf que... Il y avait tant de tués que les pontonniers enfonçaient leurs piliers dans une couche de cadavres... »

Je me souvins de la ruelle où gisaient les femmes fusillées par les Allemands, je voulus en parler mais Boutov passa soudain la tête dans l'ouverture de la tente et cria en direction des rochers : « Hé, Ratinsky ! Viens boire un coup ! » Dans les yeux mi-clos de Vassine, je devinai le reflet d'une guerre qui ressemblait peu à nos anecdotes bravaches.

Ratinsky s'enivra vite et, pour être à la hauteur de nos récits, annonça avec emphase : « J'étais trop jeune pour prendre les armes... Mais, vivant dans la zone occupée, à la frontière polonaise, j'ai lutté dur contre les nazis ! »

Une liste d'exploits s'ensuivit : un panneau routier renversé, les pneus d'une moto militaire crevés... Sur sa lancée, il se serait sans doute inventé un passé plus glorieux, usurpant le rôle d'un résistant, mais l'alcool brouilla son élan épique. Du coq à l'âne, il parla de son grand-père, « grand fonctionnaire de l'Empire des tsars », un « aristocrate » qui dirigeait « d'une main de fer » une province dans sa Pologne natale – russe à l'époque. Et aussi de son père qui avait hérité de cette poigne de fer mais s'était mis au service des Soviets... Ratinsky répétait le mot « fer » presque dans chaque phrase. Visiblement, l'ordre, le règlement militaire le fascinaient et je comprenais mieux, en l'écoutant, l'admiration qu'il vouait à Louskass.

Dans sa fougue, il avala une gorgée à peine coupée d'eau et s'ébroua comme un cheval sortant sur une berge : « Ou-ouf ! Ouais... Une discipline de fer ! Dès mon enfance, mon père m'en a donné le goût — toute chose à sa place, tout homme à son rang. Pendant la guerre, j'ai observé les Allemands, il y avait un état-major dans la ville où j'habitais. Eh bien, chez eux, c'est clair : l'ordre c'est l'ordre ! Un officier allemand, on le sent, dans sa démarche, dans sa voix. Nous, c'est le bordel, l'anarchie et puis, hop, une dictature, et les têtes tombent ! Dans une ville où les Allemands s'installent, les voitures brillent, les uniformes sont impeccables et surtout, quand on travaille pour eux, pas de surprises ! On est bien payé pour ce qu'on fait... Euh... Non ! Je ne parle pas de moi ! Je veux dire qu'en principe... »

Il s'embrouilla et, dans une éclaircie qui perça sa pensée avinée, dut constater s'être affreusement trahi. Une crampe lui noua la gorge. Il s'étrangla, recrachant des miettes de viande... Boutov nous regarda, Vassine et moi, comme pour nous demander : « Qu'est-ce qu'on fait de celui-là ? » Puis, avec une mine plus navrée que sévère, il donna des tapes dans le dos de Ratinsky qui toussait à se déchirer les poumons.

Lorsque sa quinte se calma, Boutov soupira : « Écoute, sous-lieutenant... Tu as de la chance que Louskass ne soit pas là. Il t'aurait coffré pour le quart de ce que tu nous as conté... Va dessoûler ! Gartsev montera la garde à ta place... »

Ratinsky se leva, tenta de parler mais ne put émettre qu'un hoquet plaintif. Quand il eut disparu, Boutov murmura : « C'est toujours comme ça dans la vie... Tu sauves un type et tu te demandes quelle saleté il va faire pour te remercier... Bon, on verra. Demain, pas de précipitation. On bouffe tranquillement, on avance peinard. Ça va, notre Bonaparte est parti. Quant à l'évadé, je suis sûr qu'il nous attendra. Il n'a pas intérêt à voir débouler une nouvelle équipe. Donc, profitons du congé, on ne sait pas ce qui nous attend au retour... »

Il évoqua ce « retour », d'une voix amère, étonnamment dégrisée.

À mon poste, sous la falaise, je me disais qu'après les aveux involontaires de Ratinsky, je le détestais moins. Oui, bien sûr, c'était un sale mouchard, un arriviste. Et son travail pour les Allemands ! Mais... Je l'imaginais enfant, un petit rejeton de nobliaux polonais égarés dans une époque saignée par les révolutions et les guerres civiles. Pour survivre, il avait trouvé une bouée : la «discipline de fer» qu'il admirait chez son père, chez les Allemands, chez Louskass. Sans cela, il ne se serait jamais libéré de l'adolescent qui se cachait en lui – un garçon chétif, craignant qu'on ne lui rappelle le passé tsariste de son grand-père, les origines douteuses de sa famille dans cette Pologne d'avant-guerre qui fricotait avec Hitler. Et surtout, son admiration juvénile pour les beaux officiers nazis... Chacune de ces tares pouvait lui valoir de longues années de camp.

Un adolescent caché. Assez semblable, tout compte fait, à ce «pantin de chiffon» que je gardais en moi. Fiévreux symbole de notre volonté de vivre, d'aimer, d'être reconnu, d'être aimé...

Pour la première fois, j'éprouvais ce sentiment de partage indifférencié : Boutov, Vassine et... oui, même Ratinsky. Et aussi ce fuyard recroquevillé au milieu des rochers. Un pauvre hère, aux pieds en sang, qui devait commencer à nous voir séparément, chacun avec son «pantin» intérieur, et tous réunis dans cette absurde poursuite...

Venant prendre la relève, Vassine s'installa près du feu et murmura d'un air vaguement penaud : «Tout à l'heure, je n'ai pas voulu raconter les combats autour de Leningrad... En fait, notre unité protégeait les civils qu'on évacuait dans les camions, sur la glace du lac. Un soir, j'ai vu un fourgon, avec une cinquantaine d'enfants, disparaître dans une trouée ouverte par une bombe. Le lendemain, la glace s'était refaite et les voitures ont repris leur rotation… Depuis, je n'aime pas ces récits de soldats. On enjolive, on décrit des exploits et des victoires. La nouvelle génération écoute, puis se met à rêver de sa propre guerre… »

J'hésitai un moment, puis avouai : « Il n'y avait pas de cave pleine de vins dans cette ville balte dont j'ai parlé. Juste une caisse de bouteilles. J'ai bu avec les bidasses pour oublier que nous avions piétiné les visages des cadavres. Depuis, je n'ai pas trouvé d'autre moyen d'oublier… »

Le lendemain de notre festin, nous constatâmes que l'évadé s'était évertué à escalader la barrière de roche et à reprendre sa route. Nous en étions secrètement soulagés : pas d'affrontement final, encore quelques jours de « congé », comme disait Boutov.

Notre vie concentra une matière d'existence que tout homme aurait pu nous envier. Nous longions des cours d'eau bordés de forêts inentamées, faisions des haltes calquées sur les arrêts du fuyard, mangions du gibier grillé au feu et le soir, autour d'un dîner arrosé, menions des conversations très viriles : guerre, femmes, chasse, armes...

Celui que nous poursuivions était devenu indispensable à ce bonheur simple. Car il s'agissait bien de bonheur ! Même Ratinsky s'y laissa aller. Un après-midi, il se baigna dans un petit lac peu profond chauffé par le soleil – un corps malingre, des omoplates saillantes qu'il valait mieux cacher sous un uniforme...

L'évadé semblait deviner le sens de la parenthèse que nous vivions. La nuit, ses trois feux brûlaient de plus en plus proches, il jugeait notre attaque peu probable.

« Il finira par tomber d'épuisement, vous verrez, nous disait Boutov. Je ne sais pas d'ailleurs comment il tient encore debout… » Et nous sentions qu'il espérait voir ce marcheur endurer encore plusieurs étapes avant de s'écrouler.

Un soir, nous mangions du taïmen, un poisson d'une dizaine de kilos que Vassine avait tué avec une pique. Soudain, dans le triangle des feux qui indiquait le campement du fuyard, son ombre se dessina ! À deux cents mètres, tout au plus, de notre bivouac. Boutov, déjà très éméché, se leva et, les mains en porte-voix, hurla : « Camarade ! Ne reste pas seul, viens boire un verre ! » Malgré nos éclats de rire, ce cri nous laissa une étrange tristesse. Boutov voulut dire un toast, sans doute aussi enjoué que l'invitation adressée à l'évadé. Mais sa voix s'éteignit dans un bougonnement : « Il a été peut-être calomnié, ce gars. Une délation et, hop, le voilà "ennemi du peuple" ! Il n'a pas la tête d'un tueur. Sinon, il nous aurait tous abattus, hier, soûls comme nous étions… »

J'observai Ratinsky, certain qu'il relèverait ce propos subversif. Pourtant, il resta détaché, opinant pensivement aux paroles de Boutov.

Cette nuit-là – je le comprendrais plus tard – nous étions au plus près de ce qu'il y avait en nous de meilleur.

L'heureuse hébétude de notre marche mélangea les dates dans ma mémoire. Deux jours ou bien trois s'écoulèrent dans cette insouciance oublieuse.

Puis le choc de notre découverte rompit ce repos.

Nous nous réveillâmes avant le lever du soleil – non pas dans l'intention d'attaquer l'évadé mais éprouvant le frisson de la première gelée. Rien ne trahissait encore dans les feuillages l'arrivée de l'automne, pourtant le souffle de la mer d'Okhotsk jetait déjà ses cristaux de givre sur la bâche de nos tentes.

Ce signal dut angoisser Boutov, lui faisant imaginer la taïga envahie de congères, les pistes effacées, les repères disparus. Il annonça, morose : « Eh bien, les vacances sont finies. On va le choper aujourd'hui, notre bonhomme. Il est temps de rentrer. » La décision était aussi due peut-être à sa gueule de bois et au tarissement de ses réserves d'alcool.

Nous mangeâmes rapidement et partîmes, suivant son plan d'assaut : encercler le campement de l'évadé, le harceler par des tirs sous ses pieds…

Notre nœud se resserra : dans la grisaille du matin, nous vîmes que l'homme, pris au dépourvu, tâchait de se glisser dans un épinier et, cerné par nos tirs, se débattait au milieu des branches. Nous nous approchâmes de son dernier repli : Boutov et Ratinsky pointant leurs pistolets, moi serrant le seul fusil qui nous restait, Vassine tenant une lanière pour l'entraver...

Nous nous jetâmes dans la broussaille en criant : « Haut les mains ! Bouge pas ou je tire ! »

Il n'était pas là... Parcourant en tous sens ce fourré, nous finîmes par tomber sur une longue corde accrochée à un arbuste. C'était donc cela, sa ruse : il tirait le fil, les rameaux s'agitaient, nous attirant vers ce refuge, pendant que lui, caché derrière un arbre, préparait sa fuite.

Notre opération n'avait pourtant pas été vaine. L'évadé s'était sauvé de justesse, abandonnant son sac, du poisson fumé, un gobelet confectionné avec de l'écorce de bouleau et quelques bouts de tissu délavés qui séchaient au-dessus des braises – des pansements pour ses plaies, sans doute.

L'une de ces bandes de coton, qu'il venait visiblement d'enlever, portait des traces de sang. Ratinsky jubila : « C'est moi qui l'ai amoché, ce type ! Il continue à saigner. Oui, c'est moi... »

Boutov examina le coton bruni puis, les yeux arrondis, expira avec une incrédulité à la fois rageuse et admirative : « Elle nous a tous baisés, cette pute ! »

D'un geste dégoûté, il jeta le tissu dans les braises et, se tournant vers Ratinsky, maugréa : « C'est avec ta bite que tu pourrais l'amocher. Au lieu de te vanter, tu ferais mieux de mettre ton nez dans ses menstrues. »

Tout ce qui nous paraissait jusque-là bizarre devint une évidence : la petite taille de l'évadé, l'empreinte de ses pas d'une pointure bien inférieure aux nôtres, son visage, sa démarche…

Furieux, Boutov ordonna : « Le même plan d'attaque. On l'encercle, on lui tire sous les pattes, on la coince et… Et puis, on va la torcher, tous les quatre, cette salope ! »

La violence de son ton nous sembla justifiée. Le fait que l'évadé se révélât une femme changea radicalement notre attitude. Avant, nous avions une vague compassion pour ce fuyard aux pieds nus. Il incarnait ce qui pouvait nous arriver, à chacun, dans cette époque imprévisible et atroce où nous vivions.

Être face à une femme inversait le sens de notre expédition. Elle nous avait humiliés, rapetissés. Les vraies victimes, c'était nous ! Ballottés dans cette taïga sans fin. Atteints dans notre honneur. Dégradés par une fille qui tirait mieux que nous, marchait vaillamment, ripostait à nos assauts avec sang-froid. Et surtout, capable de nous tuer, elle avait évité de donner la mort !

Je tournais et retournais ces pensées pour apprivoiser l'ahurissante nouveauté de la situation. Et plus encore, pour émousser la frénésie du désir : ce corps féminin dont j'allais jouir en compagnie des autres, une garce qu'il fallait punir, non pas pour son crime mais pour avoir perverti la logique de ce monde !

« De toute façon, si une femme va en prison, discourait Ratinsky pendant nos haltes, ça veut dire que c'est une voleuse, ou bien une mère indigne. Ou même pire : elle a peut-être tué son mari. Dans les camps, il y en a plein… J'en sais quelque chose ! »

Je n'avais pas besoin de trop justifier ce festin de coïts qui se préparait. Dans un coin de ma conscience, la fugitive rejoignait Svéta, avec ce même mélange de jalousie et de rancœur.

Nous accélérâmes le pas et, nous engageant dans les courbes du rivage, il nous arrivait désormais de nous rapprocher si près de la femme que notre regard distinguait le mouvement des hanches sous le tissu grossier de son habit, la ligne gracile du cou… Seule son arme, portée inversée sur son épaule, retenait notre envie de courir, la pousser dans le dos, l'écraser contre le sable. Plus que jamais, il était hors de question de tirer une balle – son corps devait rester intact pour nous satisfaire.

Ratinsky, le plus jeune parmi nous, n'en pouvait plus d'attendre. Je vis plusieurs fois sa main serrer machinalement l'entrejambe de son pantalon. À un gué où la distance qui nous séparait de la fugitive se réduisit à une cinquantaine de mètres, il chuchota avec une insistance enragée : « Commandant, j'y vais ! Je l'attrape pendant la traversée. Je saurai le faire... »

Boutov, le visage rougi par l'excitation de la chasse, poussa un grognement indistinct, un accord tacite, l'œil rivé à la silhouette de la femme dont les vêtements mouillés soulignaient, insolemment, le galbe de la croupe, le va-et-vient du fessier...

Ratinsky avança à grandes enjambées, trébuchant sur des pierres, glissant sur des plaques d'argile que la rapidité du courant empêchait de voir... Il était parvenu à rattraper la moitié de la distance quand la femme sembla perdre pied et tomber. Elle plongea un bras dans l'eau, cherchant à s'appuyer sur le fond, l'autre soulevant le fusil pour ne pas l'immerger. Ratinsky se précipita vers cette proie sans secours...

C'est alors que la fugitive se redressa et nous crûmes que, par jeu, elle voulait éclabousser son poursuivant. Non, c'était un galet qu'elle lui jeta avec une précision étonnante. Touché à la tête, Ratinsky virevolta, l'air de nous prendre à témoin. En réalité, ce fut la force de l'impact qui lui imposa ce demi-tour. Il chancela, s'assit au milieu du gué, avec de l'eau jusqu'au cou – on eût dit un enfant dépité de se voir refuser une friandise.

Et nous, une fraction de seconde, nous venions de voir le visage de la femme. Des yeux bridés comme

145

chez tous les autochtones de l'Extrême-Orient, des pommettes hautes. Les cheveux qui commençaient à repousser sur son crâne tondu étaient d'un noir d'anthracite, commun aux gens du cru. Une « Toungouze »… Cette origine générique évoquait pour nous des peuplades arriérées, perdues dans ces forêts insondables, dans le temps préhistorique des chamans. C'est pour cela certainement que nous n'avions aucune honte à penser à un viol – cette femme appartenait à un monde sauvage, comme une perdrix à qui l'on tord le cou sans trop d'états d'âme…

Nous rejoignîmes Ratinsky, notre « grand blessé », l'aidant à se remettre debout. « T'en fais pas, sous-lieutenant, tu seras le premier à la baiser, le consola Boutov. C'est comme à la pêche – plus le brochet résiste, plus on a de plaisir… »

Une fois sur l'autre rive, nous relançâmes la poursuite mais le soleil déclinait déjà, il était temps d'allumer le feu, avant une nouvelle gelée…

Le lendemain, vers midi, au moment d'une halte, nous aperçûmes une fumée qui montait vers le soleil, derrière un rideau de saules. « C'est elle ! » chuchota Ratinsky et, sans distribuer les rôles, nous nous mîmes à courir. Boutov, harassé par le désir, oublia même qu'il tenait toujours sa tasse d'aluminium. La même vision imaginée nous aiguillonnait : la « Toungouze » plaquée contre le sol, cuisses ouvertes et poitrine dénudée.

Nous débouchâmes sur la berge d'une rivière, plus lente que les affluents que nous traversions d'habitude. Séparée de nous d'une vingtaine de mètres, la fugitive se trouvait sur la rive opposée, dans le courant qui lui arrivait jusqu'aux hanches…

Elle était complètement nue ! Son corps avait la minceur musclée d'une marcheuse aguerrie, un torse sculpté par l'effort, des seins fermes, ronds. Le soleil vernissait sa peau avec une fluidité dorée qui faisait mal aux yeux… Après un moment de torpeur, nous nous ruâmes dans l'eau.

La femme ne parut pas effrayée. Elle s'aspergea le visage, tourna le dos, remonta vers son feu, nous rendant fous par sa démarche…

Ratinsky qui nous devançait de quelques pas s'enlisa le premier, puis ce fut le tour de Boutov et le mien. Vassine, plus prudent, était resté sur la rive, serrant dans les mains notre fusil.

Le fond dans ce cours d'eau paresseux, du côté où nous étions descendus, était lesté de vase. Enfoncés au-dessus du genou dans un dépôt de limon, nous nous débattîmes au milieu de ce mélange tourbeux qui envoyait à la surface le clapotis de bulles sentant le pourrissement… Ratinsky, presque tragique avec sa bosse rouge sur le front, finit par crier : « Aidez-moi ! Je vais me noyer dans cette boue ! » Je tendis ma main à Boutov qui, formant une chaîne de salut, agrippa le sous-lieutenant…

Nous remontâmes sur la rive. La fugitive, à peine cachée par un saule, se séchait près du feu. Boutov, pris d'une fureur taurine, hurla : « On t'aura, salope ! Demain, on te passera tous dessus ! Et par tous les trous ! »

La réaction de la femme fut inattendue. Elle attrapa le fusil posé par terre et, visant Boutov, tira.

Instinctivement, nous nous portâmes tous vers lui, craignant de devoir ramasser un cadavre. Mais le commandant restait debout et, privé de langage, les yeux exorbités, nous montrait la tasse qu'il serrait toujours dans sa main. Le métal était percé, d'un bord à l'autre, de deux orifices nets.

Le soir, nous nous rattrapâmes en paroles.

Boutov dressa la liste de « toutes les salopes » qu'il « s'était envoyées » durant sa vie. Parmi elles, la conquête dont il était le plus fier : l'épouse d'un ministre ! Le statut était exagéré, pensions-nous, mais l'intrigue primait ces petits arrangements. L'épouse en question se jetait comme une tigresse sur le jeune Boutov. « Un jour, nous étions en pleine action et tout à coup, paf, son ministre de mari rapplique ! Une grosse berline sous les fenêtres, son chauffeur qui lui ouvre la porte… La femme panique : "Il va te jeter en prison !" Et moi, hop, je cache mon uniforme, puis attrape dans l'armoire un pantalon, un pull, m'habille en deux secondes et m'allonge dans la salle de bains, la tête sous la baignoire. La femme a tout pigé. Le mari entre, elle l'embrasse. "Chéri, on a une fuite d'eau ! Heureusement, j'ai trouvé un plombier…" Il était juste venu se changer pour un dîner officiel… »

Nous poussâmes des rires exagérés, portâmes des toasts à la crânerie des militaires face aux bureaucrates.

Boutov buvait, bouchant avec son pouce et son index les trous dans sa tasse…

Je leur fis le récit de mon échec amoureux. Svéta devenait une jeune beauté cupide qui dédaignait un valeureux guerrier (moi), lui préférant le fils d'un maréchal ayant lustré son pantalon à l'état-major. Ma narration suscita un élan d'empathie sincère. Boutov rythmait mes paroles par de retentissants « Ah non, mais quelle pute ! ». Ratinsky tordait ses lèvres dans un rictus d'aversion rhétorique : « Allez les aimer, ces garces, après cela… » Vassine poussait de temps en temps un soupir compréhensif. Mon histoire se termina par une scène de bataille : je boxais le fils à papa et, me tournant vers la traîtresse, je lui jetais à la figure tout l'argent que j'avais sur moi… Boutov fut si enthousiasmé par ce dénouement qu'il en oublia de boucher les trous de sa tasse, perdant une bonne gorgée d'alcool.

Ratinsky, lui, en dit trop, une fois de plus. « Avant de m'engager dans l'armée, j'ai fait mon service dans un camp, comme garde », asséna-t-il et, malgré l'ivresse, nous sentîmes un détestable souffle de glace nous passer dans le dos. « Non, pas ici, on était dans le Nord, à Vorkouta. Et je dois vous dire que, côté baise, on n'était pas toujours à la fête. Mais qui cherche trouve. Dès qu'une nouvelle fournée arrivait dans le camp de femmes voisin, on y allait, on choisissait une fille et on lui expliquait : "Voilà, ou bien tu acceptes de coucher, ou bien on te fera bosser tellement que tu en crèveras." Du coup, elles devenaient conciliantes… Une seule a refusé. Belle, jeune. Condamnée pour propagande antisoviétique. On a tout essayé : isolement, boulot inhumain, menaces, tout. Elle n'a pas cédé. Alors, on l'a amenée dans la forêt, on l'a tringlée à en faire une passoire. On était dix, on ne blaguait pas. On lui a même cassé un bras… Et à la fin, on lui a dit : "Et maintenant, vas-y, cours !" Elle a fait quelques pas, on l'a abattue et l'affaire était classée : tentative d'évasion. C'est ce qu'on devrait faire demain à la garce qui nous fait tourner dans cette foutue taïga ! »

Il attrapa sa tasse, but en louchant, rota… Son récit nous dessoûla. Sidérés, nous dévisagions sa pomme d'Adam animée par la déglutition, ses jambes maigres comiquement croisées. Boutov mâchonna, ne sachant exprimer une émotion trop mêlée – mépris, rejet et aussi la honte d'avoir voulu, si peu de temps auparavant, violer une femme, comme dans ce récit de Ratinsky.

À travers son ivresse, le sous-lieutenant dut deviner le sens de ce long regard posé sur lui. Il repoussa le sol de ses mains, se redressa et, exécutant un semblant de salut réglementaire, se dirigea vers sa tente.

Le vent chassait les vapeurs d'alcool, nous faisant frôler cette lucidité extrême qu'on atteint rarement sans avoir bu. Boutov, mal à l'aise, sortit sa bouteille, la secoua au-dessus de sa tasse mais ne put en faire tomber que quelques gouttes. Il grimaça, tenta une plaisanterie (« Moi, je carbure à la gnôle, s'il n'y en a plus, je rentre à la maison... »), sa voix se coupa et il reprit sur un ton tout autre, douloureux et sincère : « Cette fille qu'on n'arrive pas à attraper, elle avait aussi peut-être quelqu'un qui l'aimait. Allez savoir... Moi, ma femme, je l'ai rencontrée à la guerre. Une infirmière. Autour, c'étaient les bombes, la crasse, le sang. Et moi avec plein d'éclats dans le ventre. J'étais en train de mourir, le médecin ne me le cachait pas... Soudain, cette petite blouse blanche ! Je la regardais et je me disais : "Ça doit être pareil au paradis, on voit un visage, on est heureux, on n'a plus besoin de rien..." Et puis, j'ai guéri et... De nouveau, j'ai eu besoin de plein de choses. Argent, grades, bouffe, femmes. L'infirmière, je l'ai épousée... Après la guerre, elle a pris sa revanche sur la faim, a grossi, est devenue même une belle femme, une femme d'officier, quoi, autoritaire, grincheuse, un peu caporal en jupon. Et l'autre, celle que je voyais en mourant, n'existait plus... Les popes racontent comme quoi l'homme est puni pour ses péchés, bref, l'enfer et le feu éternel. Mais le vrai châtiment, ce n'est pas ça... C'est quand une femme qu'on a aimée disparaît... comment dire ? Oui, elle disparaît dans celle qui continue à vivre avec vous... »

Il semblait ne pas comprendre jusqu'au bout la justesse de ce qu'il venait d'exprimer. En entendant le craquement d'un tison dans le feu, il s'éveilla. « Bon... Gartsev, tu veilles un peu, au cas où... Moi ou Vassine, on va te relever dans trois heures... Tiens ! Regardez, elle ne se cache même plus... »

Dans le noir, les trois feux de la fugitive découpaient son ombre – des mouvements calmes, l'apaisante succession des gestes d'avant le sommeil.

Durant cette veille, mes pensées butaient contre l'insoluble simplicité de nos vies. Il y avait cette femme dans sa nuit solitaire et, à si peu de distance d'elle, nous – ces hommes qui, quelques heures auparavant, étaient prêts à la torturer dans une saillie de bêtes... Les philosophes prétendaient que l'homme était corrompu par la société et les mauvais gouvernants. Sauf que le régime le plus noir pouvait, au pire, nous ordonner de tuer cette fugitive mais non pas de lui infliger ce supplice de viols. Non, ce violeur logeait en nous, tel un virus, et aucune société idéale n'aurait pu nous guérir. En moi, c'était « ce pantin de chiffon », gardien de mon avidité vitale. Chez Ratinsky, le petit adolescent polonais tremblant à l'idée de manquer de réussites, de plaisirs. Chez Boutov... Quel double habitait ce gros corps gavé de chair féminine ? Et Vassine qui préférait se taire mais qui, lui aussi, avait accouru sur la berge, suivant notre meute ?

Le pantin, implanté dans nos cerveaux, rendait chimérique toute idée d'améliorer l'humanité. Les grands médecins de l'âme espéraient extraire ce vibrion qui nous poussait à haïr, à mentir, à tuer. Mais sans lui, le monde n'aurait pas eu d'histoire, ni de guerres, ni de grands hommes.

Je me rappelai le récit de Ratinsky : une femme possédée par des gardes et abattue sous le prétexte d'une évasion – toujours ce besoin de se blanchir devant l'ordre social ! La banale monstruosité de ce meurtre nous avait, pour un temps, ramenés à la raison, rendant évidente notre bassesse. C'était donc cela la solution : gâcher le plaisir fantasmé par la vision d'un cadavre…

Les feux de la fugitive rougeoyaient faiblement dans le noir. Me revint le jour où j'avais vu sa blouse de prisonnière au cours d'un rapiéçage interrompu. J'avais eu, alors, très peur d'être abattu par l'évadé embusqué… De ces minutes me restait désormais un tout autre reflet. La lumière qui éclairait le tissu, le vent qui passait dans les sommets des pins et les paroles que j'aurais dû prononcer : « Ne craignez rien, je m'en vais, je ne vous ferai pas de mal. Je ne dirai à personne que vous êtes là… »

Cette rêverie me sembla irréelle, je soupirai avec une grimace désabusée. Et soudain, je me rendis compte que, ce jour-là, tout s'était passé exactement comme dans ce rêve : j'avais croisé Louskass et je lui avais caché la présence de l'évadé... Et pendant quelques minutes, je ne sentis plus en moi aucun « pantin » !

Vassine arriva, chargé d'une brassée de branches, raviva le feu et me proposa : « Va dormir, Pavel. Demain, Boutov veut vraiment en finir avec nos courses-poursuites. Il m'a dit de réveiller tout le monde à cinq heures... »

Trop éloigné encore de la réalité de nos vies, je cherchai maladroitement à imiter le ton de nos conversations.

« Finir, c'est vite dit... On aura du boulot. Surtout si Boutov joue de nouveau les taureaux en rut. D'ailleurs, Ratinsky avait beau être bourré, son récit était clair : il n'hésiterait pas à violer la fille puis à la liquider, comme il l'a déjà fait... »

Je m'attendais que Vassine opine à ce propos somme toute incontestable. Mais il rétorqua en accentuant ses mots : « Je ne crois pas qu'il ait pris part au viol et au meurtre. Il a dû juste en entendre parler et s'est senti jaloux des salauds qui ont fait cela. Et c'est presque pire qu'un meurtre. »

Ce jugement me parut trop cassant, comme si Vassine avait voulu se démarquer de nous. Je parlai sans cacher mon agacement : « Oui... Boutov et lui ont perdu la tête, mais il y avait de quoi. Cette

Toungouze, une sacrée petite sirène… Moi non plus je n'aurais pas dit non. Même toi, Mark, avoue-le, elle t'a bien tapé dans l'œil. Sinon, tu n'aurais pas couru avec nous, comme un garnement de seize ans. En plus, je t'ai vu emporter le fusil ! C'était pour menacer la fille ou quoi ? »

Le vent souleva les flammes et Vassine se détourna, évitant la fumée, cligna des yeux.

Sa voix se fit plus sourde : « J'ai emporté le fusil parce que le premier de vous qui s'en serait pris à cette fille, je l'aurais tué. »

Le lendemain matin, notre départ fut très martial. Réveil avant l'aube, marche sans un mot échangé, ordres transmis d'un mouvement de menton. Plus besoin d'un plan d'action, chacun connaissait son rôle. Nos « vacances » terminées, nous n'avions qu'à arrêter la femme et la convoyer jusqu'au camp.

L'imminence du retour me donnait une sensation troublante, celle de me retrouver devant une maison cachée dans la forêt, de m'apprêter à pousser le portail, puis d'y renoncer, retournant vers ma vie d'avant. Les autres aussi devaient voir dans cette fin d'errances la chance évanouie de franchir un seuil inconnu…

Nous avancions comme au temps où Louskass nous entraînait dans des opérations nocturnes : l'obscurité, la tension, les feux de la fugitive et, trahi par leur luminescence, le corps (le sien ?) figé dans le sommeil.

Et cette coïncidence de plus – un tronc d'arbre enjambant une rivière. Nous conclûmes dans un chuchotement de conspirateurs : cette passerelle, un piège sans doute ! Fallait-il aller chercher un gué, au risque d'alerter la fille ?... Entre trois lueurs de braises, le corps allongé bougea, se recroquevilla, s'immobilisa de nouveau. « On va passer par ici, chuchota Boutov. Attendez, je vais tout vérifier, elle ne nous aura pas cette fois... »

Il avança, fit un pas sur le tronc, sautilla, pour détecter l'instabilité. Mais le bois demeura fixe et le courant n'avait ni la largeur ni la force de celui qui avait englouti nos fusils.

Boutov se trouvait à mi-chemin quand, comme dans la répétition d'un mauvais songe, son pied glissa et frappa le tronc, déséquilibrant son corps balèze. Il lança un juron suivi par le bruit flasque d'une chute dans l'eau...

La pâleur d'aube nous permit de le voir agrippé à une grosse pierre, tout près de la rive. Vassine et moi, nous traversâmes le courant à gué. Ratinsky, ne voulant pas mouiller ses vêtements, emprunta la passerelle, dérapa lui aussi, mais sut s'accrocher au tronc et évita la baignade.

L'eau glacée anesthésia la douleur et Boutov ne remarqua pas d'abord la gravité de sa foulure. Il put même nous rejoindre et découvrir le piège : la passerelle avait été frottée avec de la graisse de poisson

– nous retrouvâmes dans l'herbe les restes d'un taïmen…

Le plus étonnant fut le calme avec lequel la fugitive quitta les lieux. Nous la vîmes ramasser ses affaires, piétiner les braises, s'en aller. Boutov, encore sonné par sa chute, voulut la poursuivre et, soudain, poussant un cri, s'affala. J'eus du mal à retirer la botte de sa jambe gauche – sa cheville gonflait à vue d'œil…

Nous passâmes la journée à préparer son départ. Eu égard au poids du passager, Vassine dut construire un radeau d'un «tonnage supérieur», dit-il en souriant. Contrairement à Louskass, Boutov ne se plaignait pas et proposa même de nous laisser son pistolet. Nous refusâmes : «Les ours, les loups, on ne sait jamais…» Quand l'embarcation vogua, il cria, en guise d'adieu : «Vous devriez partir avec moi ! La fille, vous ne la rattraperez pas, elle doit être déjà à dix heures de marche…»

L'éloignement du radeau me fit sentir la fin de ces quelques jours de liberté. Et aussi le regret, désormais vain, de ne pas avoir poussé un portail inconnu.

Boutov se trompait. Le soir, revenant vers la passerelle, nous aperçûmes la fumée d'un bivouac. Vassine résuma la situation : «Nous sommes ses gardes du corps – tant que notre fine équipe est là, on n'enverra pas ici des types plus doués que nous. Elle le sait…»

À ces paroles, Ratinsky haussa le menton et déclara : « Ses jeux de cache-cache, ça a assez duré. Demain, nous la pousserons à bout. J'assume le commandement des opérations. »

Avec Vassine, nous échangeâmes un coup d'œil perplexe. Grâce à Boutov, nous avions un peu perdu le sens du sérieux.

Non, Ratinsky ne plaisantait pas. Le lendemain, nous progressions sans nous arrêter, mangions debout et, après la traversée des cours d'eau, ne prenions plus le temps de nous sécher. La femme commença à perdre son avance. À plusieurs reprises, Vassine me montra des empreintes de pas tachées de sang.

Ratinsky se prenait pour Louskass, c'était clair, et au soir de cette journée exténuante, il eut une idée particulièrement saugrenue. Pour « déstabiliser » la fugitive, il nous ordonna de passer la nuit en changeant de place et en allumant chaque fois un feu, ce qui créerait chez elle l'impression d'un encerclement de plus en plus serré. Lui-même resta « au poste de commandement », comme il désignait, très fier, la tente de Louskass et Boutov.

Sans conviction, nous accomplîmes notre transhumance nocturne, d'un feu à l'autre. La taïga, dérangée dans son sommeil, jetait sous nos pieds des vasières où nous nous enfoncions jusqu'aux genoux, entravait nos tâtonnements dans des halliers…

Vers trois heures du matin, grimpant sur une colline, nous pûmes voir plusieurs de nos feux. Ils entouraient, à intervalles inégaux, le triangle de braises au centre duquel, pensions-nous, la fugitive campait. Vassine s'assit, les mains tendues vers les flammes : « Je ne bouge plus. Qu'il aille au diable, ce Ratinsky, avec ces farces et attrapes ! »

J'appuyai son avis : « En plus, ce n'est pas sûr que son marathon soit efficace. Tu te souviens, Louskass nous fouettait tout le temps mais la fille a toujours été plus rapide que nous… »

Vassine ne répondit pas et je pensai qu'il venait de s'endormir. « Elle n'a pas été si rapide que ça, murmura-t-il enfin. Louskass a réussi à la coincer plus d'une fois. Rappelle-toi, le jour où elle avait été piégée, sur les rochers. Il était facile de la capturer… Et c'est toi, Pavel, qui n'as pas voulu viser juste. »

Je ne compris pas si c'était un simple constat ou bien un reproche. Ma réponse fut évasive : « Louskass me chatouillait les côtes avec son pistolet, j'avais peine à jouer les tireurs d'élite… »

L'œil de Vassine capta un reflet de flammes. « Non, tu l'as fait exprès, Pavel. Tu voulais la sauver. Et je sais pourquoi… »

Son ton mystérieux me mit mal à l'aise, je répliquai, un peu goguenard : « Et toi ? Tu étais prêt à nous zigouiller pour protéger cette fille qui se baignait à poil… »

Je sentis que ma familiarité sonnait faux. Vassine baissa les yeux et son corps se tassa comme si l'on en retirait la charpente. Je pensai à son âge, bien supérieur au mien, mais son affaissement ne tenait pas à ces années en plus.

« C'est que la fugitive ressemble beaucoup à… à ma femme », dit-il tout bas.

Je n'eus pas la présence d'esprit d'abandonner mon bagout familier : « Cette fille doit être quand même plus jeune que ton épouse. À moins que tu ne te sois marié avec une étudiante… »

Il répondit avec une simplicité amère, ne m'en voulant pas de ma raillerie : « Non, la fugitive doit avoir à peu près le même âge. Oui, l'âge qu'avait ma femme au moment de sa mort. C'était pendant la guerre, je t'en ai parlé – le siège de Leningrad, l'évacuation des civils par la route qui passait sur le lac Ladoga gelé. Ma femme se trouvait dans un camion, l'un de ceux qui sont tombés dans les trouées ouvertes par les bombes. Avec les élèves de son école… et notre fils de sept ans. Après la guerre, j'ai demandé à l'administration de la ville s'il y avait la possibilité de remonter les corps. Le responsable que j'ai rencontré m'a écouté en bâillant, puis a tranché : "Un enterrement ? Mais nous avons un million de cadavres qui sont enfouis n'importe comment, sans cercueil ni pierre tombale. Allez, dans le lac, les poissons vont s'en charger…" Je l'ai frappé, lui cassant le nez, on m'a arrêté, j'ai écopé de sept ans, à Vorkouta, là où Ratinsky dit avoir servi. »

Vassine se tut. Penaud, je cherchai à rattraper ma maladresse :

« Et tu n'as pas essayé d'expliquer aux juges la raison de ta colère ? Tu avais droit aux circonstances atténuantes !

– Je n'y pensais plus. En fait, je n'existais plus vraiment. En tout cas, pas dans ce monde. Je me disais que si on continuait à vivre malgré ce camion au fond d'un lac gelé, c'est que ce monde-là ne valait pas grand-chose. Dans le camp, j'ai rencontré un prêtre, un prisonnier lui aussi. Il me parlait de Dieu qui nous aimait, de la lumière au plus profond de l'abîme… Il était dans son rôle. Je ne répliquais pas. À quoi bon ? Puisque, avant et après la mort de ces enfants, on n'a jamais arrêté de tuer, de brûler et… de bâiller ! L'apparatchik qui m'a reçu était plus sincère que le prêtre, il ne vantait pas la lumière de Dieu… »

Il s'interrompit, opinant doucement à ses pensées. Puis, tendant son bras vers la forêt, chuchota : « Regarde, Pavel ! C'est cela, la lumière dans les ténèbres. Nos feux, allumés pour tromper cette femme. Oui, ruser, mentir, frapper, vaincre. La vie humaine. Un gamin s'étonnerait : pourquoi tout cela ? Dans cette belle taïga, sous ce ciel plein d'étoiles. L'adulte ne s'étonne pas, il trouve une explication : la guerre, les ennemis du peuple… Et quand ça devient vraiment invivable, il te parle de Dieu, de l'espérance ! Les enfants qui se noient sous la glace, qu'est-ce qu'ils ont à faire de cette lumière divine ? »

Sa voix frôla un sanglot retenu. Je me dépêchai de poser une question : « Mais tu n'as pas purgé toute ta peine, si ? »

Il tenta de sourire. « Le bureaucrate qui bâillait en m'écoutant a été accusé, quatre ans plus tard, de trotskisme. On s'est mis à vérifier les personnes qu'il avait côtoyées… Après quatre ans de camp, on m'a donc sorti de ma baraque, pour un interrogatoire. J'ai raconté ce qui s'était passé entre lui et moi. Du coup, je devenais la victime innocente d'un affreux comploteur. Non, le juge n'a pas agi par compassion, il avait juste besoin d'étayer son dossier. J'ai été donc réhabilité, sans savoir qu'un jour je me retrouverais à traquer une prisonnière évadée… »

L'un des feux de la fugitive se colora d'un éclat plus vif. Dans le noir, nous ne savions pas si elle était en train de le tisonner ou bien si les flammes s'animaient, comme souvent, avant de s'éteindre.

Vassine sembla hésiter à me confier sa pensée. «Libéré, j'ai compris que le plus simple était de me tuer. Je ne l'ai pas fait, car il m'arrivait de faire des rêves où je voyais ma femme et notre garçon. Je n'étais pas sûr de garder cette chance après la mort.»

Il parla comme pour lui-même : «Quand j'ai vu la fugitive – j'ai compris que c'était une femme au quatrième jour de notre traque – j'ai eu envie de marcher jour après jour sur ses traces et, la nuit, de regarder ses feux. Cela m'aurait suffi pour croire que la lumière divine existe. Non, la lumière, c'est trop ! Juste croire qu'autre chose que notre vie existe. Une autre vie. Celle dans laquelle j'avancerais derrière cette femme, sans jamais la rejoindre… Mais c'est plutôt un conte, non ?»

Il poussa un soupir et, attrapant notre fusil qui traînait par terre, murmura : «Je sais, tu ne tireras pas sur elle, mais je te dis quand même que j'ai saboté l'œilleton. À cent mètres, la balle aura un écart d'une tête d'homme, sur la droite…»

La tactique de Ratinsky («Marche et crève», disait Vassine) donna le résultat escompté : la fugitive restait presque toujours en vue. Affaiblie par une traque sans relâche, elle se trompait de route, revenait sur ses pas et, ne s'arrêtant même pas pour boire, puisait de l'eau dans le creux de sa main. Une nuit, ce qui n'était encore jamais arrivé, elle n'alluma pas de feu... «Elle se terre comme une louve à qui on a cassé les pattes», ricana Ratinsky.

Je me rappelai les paroles de Vassine : avancer durant toute sa vie en voyant, au loin, la silhouette de cette femme. Un conte...

Le lendemain, elle franchit une rivière, espérant sans doute se cacher dans le sous-bois de la berge opposée. Mais cette berge se révéla n'être qu'un étroit îlot... Elle le parcourut, se retrouvant parfois à quelques dizaines de mètres de nous. Une louve cernée (Ratinsky avait vu juste) eût montré ses crocs, la fugitive, elle, épaula deux ou trois fois son fusil pour nous tenir en respect. Enfin, ne voyant pas d'issue, elle se dirigea vers l'endroit où le courant formait des rapides.

Des mamelons de granit, certains noyés dans les cascades, d'autres sortant des tourbillons, n'offraient pas de passage sûr. Il fallait être aux abois pour tenter une traversée par là. La fugitive monta sur ce chapelet de pierres, hésita, s'appuya sur son fusil comme sur un bâton, plongea dans l'eau jusqu'à la poitrine, remonta sur un rocher, lutta contre le torrent.

« Suivez-la, Vassine, cria Ratinsky, et faites-la tomber ! Gartsev, mettez-vous dans l'eau, un peu en aval, pour qu'elle ne s'échappe pas à la nage. Exécution ! »

Vassine objecta : « Camarade sous-lieutenant, elle ne pourra pas passer. Le courant est trop fort et là, à mi-chemin, aucune pierre où mettre le pied... Elle va revenir vers nous. »

Ratinsky, déjà assuré de son succès, s'écria : « Ici, c'est moi qui commande ! Je vous ai dit de la suivre. Vite ! » Exprès ou non, il donna une tape sur l'étui de son pistolet.

Vassine enleva son sac, me regarda comme s'il avait voulu me demander de l'aide, puis emboîta le pas à la fugitive.

La femme s'approchait du milieu du passage, de cet intervalle entre les pierres où l'eau s'engouffrait sans obstacle, rageusement. Posté dans la rivière qui me glaçait le diaphragme, j'observais ce défi d'équilibriste, le souffle suspendu.

Elle s'arrêta, indécise. La pierre la plus proche se trouvait à plus d'un mètre. Il fallait donc sauter, sans recul, et surtout réussir à s'agripper à sa surface bombée et couverte d'algues. D'un coup d'œil, elle évalua le danger, se retourna, vit Vassine qui, péniblement, progressait d'un appui à l'autre et moi, barrant la possible fuite par les flots. Ratinsky, sur la berge, pointait vers elle son pistolet, pour souligner son rôle de chef.

Le geste de la femme me laissa interdit. Elle tira une lame attachée à sa ceinture – je reconnus une baïonnette – et l'ajusta au fusil. La manipulation paraissait absurde : ce n'était quand même pas Vassine qu'elle allait charger ! En plus, le fusil devenait ainsi encore plus long et encombrant.

Je n'eus pas le temps de chercher une explication. Elle se courba et, ployant les jambes, se jeta dans le goulot où le torrent déferlait. Sûr de la voir emportée par le flux, j'avançai pour pouvoir l'attraper… Mais au milieu des remous, elle semblait résister à la puissance du courant entre la pierre d'où elle venait de sauter et celle qu'elle devait atteindre. Quand elle se déplaça vers ce bloc-là, tout devint clair : le fusil, rallongé de la baïonnette, formait une barre – un lien entre deux surfaces de granit – et lui donnait un appui dans sa traversée...

Ratinsky qui venait de le comprendre poussa un hurlement hystérique, incitant Vassine à accélérer son avancée. Ce cri eut l'effet contraire : Vassine trébucha, glissa et, désarticulé, tomba à la renverse, emporté vers la crête écumeuse des rapides.

C'est lui que, finalement, je dus repêcher. Il aurait pu se noyer, s'étant cogné la tête contre l'arête d'une pierre.

Reprenant ses esprits, il me pria de l'aider à retirer ses bottes. Il enleva aussi son pantalon : son genou droit portait une grosse entaille. Il le serra, le palpa et, d'une voix apaisée, constata : « Bon, je me suis claqué une rotule... Le conte est fini. »

Le reste de la journée fut employé à monter un radeau. Je sciais les troncs, les attachais selon les indications de Vassine. Ratinsky nous harcelait de reproches mais ne paraissait pas trop inquiet : la fugitive avait eu à peine la force de traverser le courant et de s'affaler sur l'autre rive. Nous voyions, derrière une saulaie, le feu qu'elle avait allumé pour sécher ses vêtements. Ce choix de rester sur place, si près de nous, n'était plus une ruse. Elle devait être incapable de se remettre en route sur ses pieds écharpés.

Entre-temps, Ratinsky avait découvert un gué. Son plan d'assaut me fut annoncé, tel un coup de grâce.

Vassine évacué tôt le lendemain matin, nous allions
«appréhender la criminelle selon les règles de l'art». Il
semblait avoir digéré sa colère, conscient d'être, désormais, le seul vrai vainqueur !

La nuit, je veillais, tout en confectionnant une
attelle pour Vassine : des baguettes, réunies par une
corde, ce qui éviterait à son articulation de se déboîter.
Il avait de la fièvre et parlait par bribes, peut-être en
réponse aux questions qui résonnaient dans sa tête. Je
m'endormis un bref moment et c'est sa voix qui me
tira du sommeil : «Maintenant, c'est terminé pour
moi. Mais je peux fermer les yeux et me voir marcher
– moi et, au loin, cette femme qui avance, fait des
haltes, allume le feu et je n'ai même pas besoin de
savoir où elle va...»

Ratinsky dormait encore dans son «poste de
commandement» quand j'installai Vassine sur le
radeau, lui transmis une perche et deux rames sommai-
rement taillées. À trois kilomètres de notre bivouac, la
rivière se jetait dans l'Amgoun. J'essayai de le rassurer :
«Il n'y a plus de rapides, j'ai vérifié.» Il sourit. «Au
pire, je me retrouverai dans le Pacifique...»
    Il me tendit son sac à dos. «Écoute-moi, Pavel.
Dedans, il y a mes bottes, une scie, cinq mètres de
corde, du poisson fumé, une dizaine de biscuits secs.

Et ma tasse. Quand je serai parti, descends vers le gué, traverse le courant… Non, la fille ne tirera pas sur toi. Jette-lui le sac et reviens vite ici. Si ça se corse avec Ratinsky, dis-lui qu'elle m'a volé mes affaires. »

Sans me laisser le temps de réagir, il sortit un couteau et, libérant le bas de sa vareuse serrée par le ceinturon, incisa le tissu. Sa main tira rageusement et la coupure courut autour de son torse, formant une longue bande chiffonnée. «Et ça aussi! Pour ses pieds… »

Il me lança ce ruban, planta la perche dans le sable, repoussa le radeau. Le courant l'emporta dans le noir. Pendant quelques secondes, j'entendis le ruissellement de l'eau qui frôlait son embarcation.

«Il est parti? Bon débarras! Je préfère avoir les coudées franches… »

Ratinsky se montra énergique et résolu, tel un chef d'armée à l'aube d'une bataille. «Il ne faut pas rater notre coup, maintenant. Pour moi, il s'agit d'une étoile de plus sur mes pattes d'épaules, et pour vous, Gartsev, d'une citation ou même d'une médaille! Comme la fille ne peut plus marcher, sa tactique sera de trouver un trou et de nous viser de cet abri. Nous allons la prendre en tenailles et puis, vlan, une corde au cou et la gueule dans le sable! Après, on verra… Si elle n'est pas trop moche, on va lui bien fourbir la culasse, à cette salope, ha, ha!»

Il s'emballa, imitant à la fois les discours d'état-major qu'affectionnait Louskass et la gouaille solda-tesque de Boutov. Le petit adolescent chétif, en lui, allait prendre sa revanche.

Nous traversâmes la rivière dans l'obscurité qui commençait à se dissiper. Je craignais que Ratinsky ne remarque les traces que j'avais laissées en apportant le sac de Vassine vers l'endroit où la fugitive passait la nuit. Mais il était trop excité à l'idée de l'assaut. M'envoyant dans une manœuvre de contournement, il progressa lui-même d'arbre en arbre, mettant en joue les recoins censés dissimuler la cible, posant un genou à terre, bref, exécutant les exercices appris à l'armée.

Arrivé sur les lieux après lui – il ne voulait pas partager son triomphe – je le retrouvai près du feu, son pistolet décrivant des courbes désordonnées... La femme n'était plus là.

«Mais on ne l'a pas vue s'enfuir! Le plan d'encer-clement était impeccable. C'est comme si quelqu'un l'avait prévenue... Attends, qu'est-ce qu'elle était en train de rôtir?»

Du bout de sa botte, il repoussa les braises... Un coup de feu souleva un nuage de cendres. Nous nous jetâmes à terre, pensant à un tir qui nous visait. Mais aucune autre balle ne suivit et, près du feu, nous retrouvâmes une douille, celle d'une cartouche que la fugitive avait laissée « griller » dans les cendres.

« C'est un avertissement… », balbutia Ratinsky et je notai que ses lèvres tremblaient. Il dut voir dans mes yeux le reflet de sa peur et se hâta de reprendre son rôle de dur. « Bon, elle ne peut pas être loin, sinon la cartouche aurait pété avant… »

Au bout de quelques minutes, débouchant sur la berge du courant, nous aperçûmes la silhouette familière. J'étais sûr que Ratinsky noterait tout de suite que la fugitive portait des bottes et avançait avec plus de facilité. Il ne releva rien. Dans sa tête, cette femme qui allait être capturée, violée, livrée à la direction du camp, appartenait déjà au passé. Et l'avenir, glorieux, c'étaient les deux étoiles de lieutenant, les félicitations du commandement et, enfin, le mariage, l'installation dans une « vraie vie ».

Il répétait machinalement : « Allez, Gartsev, grouillez-vous ! Dans cinq minutes, c'est fini. Plus vite, je vous dis ! »

C'était sans compter que, bien chaussée, la femme pouvait désormais tenir le rythme. Elle nous entraîna vers une rive marécageuse, réussissant elle-même à l'éviter par un lacet forestier, gagnant ainsi sur nous un bon kilomètre. À l'approche du soir, Ratinsky dut reconnaître : « Ce n'est pas grave. On l'arrêtera demain matin. Comme ça, on aura toute une journée pour s'occuper d'elle. » Il me lança un clin d'œil qui se voulait égrillard mais j'y devinais un flottement de désarroi…

Le vent se leva, nous nous courbions sous le fouettement de branches battues par la pluie. La taïga morne, hostile, s'ouvrait à contrecœur. La nuit, la toile de notre tente ruisselait et claquait sous les bourrasques.

Je m'endormis tout de suite mais, habitué à rester à l'affût, m'éveillai au chuchotis d'une plainte. Sans me trahir d'un mouvement ou d'un soupir, j'écoutai et, abasourdi, déchiffrai dans l'obscurité les mots murmurés d'une prière. Oui, Ratinsky priait ! Le cadran lumineux de sa montre décrivait la trajectoire d'un signe de croix… Remarqua-t-il mon silence trop vigilant pour un dormeur ? Son bafouillis cessa, il soupira et, quelques minutes plus tard, j'entendis son ronflement.

Quel genre de dieu venait-il d'invoquer ? La question me plongea dans une perplexité hébétée. Oui, que pouvait demander au ciel un homme pareil ? Et quelle était sa foi ? Une tradition que ses grands-parents, coriaces croyants polonais, lui avait transmise ? Ou bien la manie très humaine de quémander de l'aide à une divinité personnelle concoctée de bric et de broc ?

«Je le fais, parfois, moi aussi...», pensai-je, un peu de mauvais gré. Quel bienfait avait-il sollicité? Sans doute, la capture de la fugitive, le grade de lieutenant... Quant au plaisir de la violer, non, il n'en était certainement pas question dans sa prière. Pourtant, Dieu ne pouvait ignorer le désir qui brûlait le corps chétif d'un certain sous-lieutenant Ratinsky.

Je souriais dans l'obscurité en écoutant son soufflement apaisé. Le mépriser eût été injuste, car ce qu'il demandait dans sa prière n'était pas si différent de mes aspirations toutes récentes. Comme moi, avec Svéta, il espérait un nid conjugal, la naissance d'un enfant... Je me rappelai être allé avec ma fiancée dans un magasin de meubles où une grande armoire avait suscité notre convoitise. Cela ne m'avait pas empêché de continuer à écrire une thèse sur la vision marxiste de la violence révolutionnaire... Non, je ne me trouvais nullement supérieur à ce Ratinsky qui essayait de mettre toutes les chances, y compris Dieu, de son côté. Un enchaînement de faits m'avait éloigné de la vie dont il rêvait. La trahison de Svéta («Finies, les grandes armoires!» pensai-je dans un ricanement muet). Ma venue dans ce bout du monde extrême-oriental. Mon enterrement dans l'abri numéro dix-neuf... Je me souvins aussi des paroles de Vassine : marcher sur les traces d'une femme sans se demander quel est le but de son infinie errance. La possibilité

d'un tel départ, disait-il, lui aurait fait croire au-delà
de ce qu'étaient nos vies...

Au milieu de la nuit, le vent se calma et une coulée
de luminescence lunaire éclaira notre tente. Un bruit
de frottement me parvint, je me redressai, imaginant
une bête attirée par les restes de poisson que nous
avions jetés. J'attrapai le fusil, me glissai dehors et,
tendant l'oreille à ce crissement répétitif, reconnus le
va-et-vient d'une scie. La lune, presque pleine, posait
sur le sable de la rive une patine bleue, phosphores-
cente. Cette clarté était suffisante pour choisir un
arbre, le découper...

Craignant d'attirer l'attention de Ratinsky, je
revins sur ma couche. Il ne se réveilla pas mais, à
travers son sommeil, épela avec une netteté étonnante : « Je l'ai fait, maman. Je te l'ai promis, je l'ai
fait... » Enveloppant ma tête dans un carré de tissu
pour me protéger des moustiques, je pensai : « C'est
le petit adolescent qui parle... Son dieu doit avoir les
traits d'une bonne mère. »

Le terrain s'élevait lentement et son dénivelé ne nous apparut qu'au sommet d'une rive très escarpée. Du bord de cette dune abrupte, nous regardâmes en bas…

La surprise de Ratinsky fut telle qu'il faillit se jeter de cette corniche sableuse, haute d'une dizaine de mètres. Il s'agita, le visage grimaçant dans un cafouillis indigné. Moi, je voyais ce que j'avais imaginé, pendant la nuit, entendant le crissement d'une scie.

La fugitive était en train de pousser dans le courant un radeau qui ressemblait peu à ceux qu'avait fabriqués Vassine. Une embarcation plus étroite et, sans doute, plus maniable sur ces rivières aux boucles innombrables.

« Il faut l'arrêter ! hurla Ratinsky. Sinon, on ne la rattrapera jamais ! » Et il s'aperçut enfin que la femme était bien chaussée. « Mais ce sont les bottes de… Vassine ! s'étrangla-t-il. Qui lui a donné ça ? »

Il sortit son pistolet, le cala sur son bras replié, tira. Mais à cette distance, le pistolet était de peu d'utilité. «Tirez, Gartsev! cria-t-il après sa troisième balle ratée. Tapez-lui dans les jambes...»

La fugitive, dans l'eau jusqu'à la cheville, luttait contre le poids du radeau qui glissait difficilement sur le sable.

En laissant traîner le temps, je chargeai le fusil, l'épaulai. «Et si, par malheur, je vise mal et je la tue, camarade sous-lieutenant?» Je gagnai ainsi encore quelques secondes, faisant semblant de me soucier des consignes données.

«On s'en fout! L'essentiel est de ne pas la laisser filer...»

Mon coup partit, souleva un petit geyser de sable à côté du radeau. La balle suivante gicla dans l'eau. Ratinsky m'arracha le fusil, visa... Son tir coupa un éclat de bois sur le radeau. «Non, il faut qu'on aille vers elle, s'écria-t-il, ulcéré. Cette pétoire n'a aucune précision!»

Nous nous précipitâmes à l'endroit où la dune devenait moins haute, dévalâmes sa pente et réussîmes à nous approcher de la fugitive avant qu'elle ne monte sur le radeau. Ratinsky vida son chargeur tout en courant mais rata la cible. «Tirez, Gartsev! Visez le ventre!» Nous n'étions plus qu'à une cinquantaine de pas de la femme. J'étais sûr de pouvoir la toucher.

«Camarade sous-lieutenant, on pourra l'arrêter sans la blesser…»

Mes paroles mirent Ratinsky hors de lui. Il bondit vers moi et le canon de son pistolet m'écorcha la joue. «Je te dis : tire!» Sa bouche écumait, ses yeux me lacéraient de haine. D'une main, il continuait à fouiller sa giberne à la recherche d'un nouveau chargeur. «Tire!»

Je n'eus pas le temps de lui obéir. Le coup de feu retentit et je crus que c'était lui qui venait de tirer, par mégarde. Curieusement, il secoua son pistolet et, comme dégoûté, le jeta dans le sable. Une seconde après, je compris ce qui s'était passé.

Près du radeau, la femme tenait son fusil. Sa balle venait de percer la main de Ratinsky qui vociférait à présent, serrant son bras droit comme on tient un bébé. Sa paume saignait.

Il commença à pleurer presque aussitôt et ses geignements allaient continuer tout au long des préparatifs de son départ. Je lavai et relavai sa plaie, la désinfectai avec l'alcool qu'il avait subtilisé au moment de nos beuveries et qu'il gardait dans une flasque que Boutov pensait avoir perdue. Tout ce qui nous restait de pansements fut utilisé pour son bandage. La balle n'avait pas atteint les os ni les articulations et, en principe, il était en état de reprendre la marche. Mais, selon lui, sa vie était en danger et seule une intervention médicale pouvait le sauver. Pêle-mêle, il évoqua tétanos, septicémie, baisse d'hémoglobine…

Tout occupés à soigner sa blessure, nous avions oublié la fugitive. Et je n'en crus pas mes yeux, découvrant que son radeau n'avait pas changé de place, en bordure du courant. La femme, elle, avait disparu, on ne voyait que les empreintes de ses pas qui longeaient la berge puis remontaient vers la forêt.

« Je vous donne l'ordre de continuer la poursuite. » La décision de Ratinsky me troubla et me réjouit à la fois. Me dévisageant avec méfiance, il ajouta : « Et vous avez intérêt à ne pas vous montrer trop amical avec l'évadée ! Au moins à ne pas lui fournir les bottes et les outils… »

Pensant à une solution plusieurs fois éprouvée, je lui proposai son évacuation par l'eau : « Camarade sous-lieutenant, nous n'avons même pas besoin de construire un radeau. La fille nous a laissé le sien… » Il ne voulait pas en entendre parler : « Non, je rentrerai à pied, en suivant cet affluent et puis l'Amgoun… » J'insistai en vain et, enfin, reçus son aveu : « Je ne sais pas nager, Gartsev… »

Sa peur lui donnait un air presque touchant. Et ce bras qu'il berçait en reniflant. Je voulus l'encourager : « Après tout, à pied ça peut être même plus rapide, vous n'aurez pas toutes ces boucles d'affluents à démêler. Nous avons fait beaucoup de surplace. Mais notre

cantonnement n'est pas si loin que ça, cinquante kilomètres à tout casser… Et vous avez les cartes. »

Il partit le jour même. Je suivis du regard sa figu-
rine qui avançait sur la berge. J'espérais, je ne savais
pas pourquoi, le voir se retourner, me lancer un
salut. Mais il devait déjà peaufiner le rapport qu'il
présenterait à Louskass : sa brillante stratégie, sa blessure héroïque… Quel rôle me ferait-il jouer dans son
compte rendu ? En vérité, il me laissait dans la taïga
pour dissimuler l'échec de l'opération. Et quand je
reviendrais, je serais un coupable tout désigné.
Sous le regard de son dieu ?

V

V

Avant la tombée de la nuit, je parvins sans trop de pistage à retrouver la fugitive. Elle n'avait d'ailleurs pas cherché à m'échapper, continuant à remonter la rivière. La soirée était tiédie par le souffle qui venait du sud, de la mer du Japon, me disais-je, imaginant une contrée au climat subtropical qui envoyait cette brise de fin d'été.

Bientôt, ses trois feux brillèrent. Dans l'encoignure d'un repli boisé, je distinguais sa silhouette qui passait devant les flammes.

« Pense-t-elle à moi, à mon attente ici, dans le noir ? » Pour la première fois cette question me vint à l'esprit. Auparavant, nous étions plusieurs et je ne pouvais supposer, chez elle, qu'une attitude nous visant tous : sa peur, son dégoût, sa volonté de fuir cette meute de militaires, tantôt veules, tantôt agressifs.

Désormais, il n'y avait que moi – un homme, éreinté par la poursuite, le mauvais sommeil, la nourriture insuffisante. Comme elle, j'avais allumé un feu, préparé un repas et je restais immobile, le regard perdu dans les flammes. Je humais le même air empli de douceur méridionale, entendais la même plainte monocorde d'un oiseau survolant nos deux refuges. Chacun de nous percevait ces minutes intimes égarées dans le temps ample et vague de la taïga.

Je n'avais encore jamais été uni à quelqu'un par un lien aussi transparent. La femme était là et sa présence suffisait pour changer l'instant que je vivais. Nous n'étions, elle et moi, que de simples témoins d'une révélation nocturne. Le discret avènement d'un monde inconnu. Je tentai de le nommer, songeant à l'intuition d'un sens caché, au pressentiment d'un mystère… Ces mots, issus de mon passé, compliqué et raisonneur, ne firent qu'obscurcir ce qui n'avait plus besoin d'être expliqué. Il suffisait de penser (et j'étais sûr qu'elle y pensait aussi) que nous pourrions nous lever et marcher l'un vers l'autre, uniquement pour échanger un regard qui aurait attesté ce que nous venions de comprendre.

De nouveau j'imaginai le portail d'une demeure perdue dans la forêt. Sauf que cette fois je me voyais déjà franchir le seuil, la main retenant encore la porte.

La peur revint quand, au réveil, écartant la bâche de ma tente, je trouvai ses bords soudés l'un à l'autre.

Pendant la nuit, le vent avait basculé au nord, solidi-fiant l'humidité océanique… Je tirai le tissu, rigide comme de la tôle, la croûte de la glace se brisa et je mis un moment à reconnaître les lieux.

Un givre bleu donnait à la forêt un aspect altier, indifférent à mon besoin de vivre en son sein. Ce royaume de glace semblait me tourner le dos.

Ma nourriture – les restes du taïmen fumé préparé encore par Vassine – était gelée et, avalant ces bou-chées rêches, je ne pus résister à une réaction irré-fléchie : un frisson de plaisir à l'idée d'un appartement chauffé, propre, disposant d'une cuisine bien garnie et d'un vrai lit. L'instant de partage que j'avais vécu la veille, ce lien qui me raccorda à la présence de la fugi-tive, se rompit. Je redevenais un militaire chargé d'une mission et dont la récompense serait le retour vers sa vie d'avant.

Le sol blanchi trahissait mieux les traces, celles de la femme mais, surtout, les empreintes variées des ani-maux. Je croyais reconnaître le passage d'un renard – ou était-ce la patte d'un loup ? Et cela ? Un lynx, peut-être ? Je mesurais mon incapacité d'analphabète à survivre longtemps dans ce milieu illisible. Le pas d'un ours m'effraya par la profondeur des incises que lais-saient ses griffes. Il était passé peu de temps aupara-vant, me dis-je en essayant d'apprendre la lecture, oui, des empreintes fraîches, laissées après la gelée. Qu'est-ce qui avait pu l'attirer vers nos deux bivouacs ? Notre nourriture ou bien notre chair humaine ? En cette saison, cherchait-il déjà une tanière d'hibernation ou se goinfrait-il, accumulant le maximum de graisse pour affronter les neuf mois de glaciation ?

L'herbe, flétrie par le froid, ne dissimulait plus les menaces de cette écriture forestière.

Dans la journée, un couple de loups croisa à plusieurs reprises ma piste, tantôt se retrouvant derrière moi, tantôt me coupant la route.

La fugitive semblait ne plus me prêter attention. Au lieu de tourner selon un itinéraire tortueux, comme elle faisait auparavant pour nous embrouiller, elle avait mis le cap sur le nord et ne s'écartait de cette direction que pour éviter un marais ou une rivière impossible à franchir à gué.

Un soir, j'entendis un coup de fusil – une seule balle, comme lorsqu'elle avait tiré sur Louskass, Boutov ou Ratinsky… Une pensée me traversa : un de ces jours, elle allait éliminer ce poursuivant peu dangereux mais tenace que j'étais. Un tir, mon corps qui s'affaisse, la douleur, l'obscurité. Et la venue des bêtes dont je ne savais déchiffrer la signature sur le givre.

Une heure plus tard, je distinguai dans l'air la senteur de la viande grillée…

J'étais conscient de son savoir-faire : dans cette taïga, la fugitive était chez elle ! C'était pour cette raison qu'elle nous avait si longuement tenus en échec. Chaque aiguille de pin était ici son alliée. Et notre ennemie.

À un détour près, mon trajet imitait le chemin qu'elle empruntait. Craignant de m'égarer, j'installais mon campement de nuit le plus près possible du sien – non pas pour lancer une attaque, mais pour ne pas la perdre de vue.

Mes réserves de nourriture étant épuisées, j'essayai de chasser, comme elle. Pendant une halte, à l'orée d'une sapinière, j'aperçus un chapelet d'oiseaux ressemblant aux coqs de bruyère mais au plumage sombre, tacheté de blanc (des gelinottes, apprendrais-je plus tard). Ils avançaient dans le sous-bois, picorant des baies, échangeant de brefs sons gutturaux… Je compris alors à quel point j'étais affamé – je me serais jeté sur l'un d'eux, pour le dépecer, avaler sa chair crue ! Je visai le plus proche, tirai… Mais c'est un autre, entouré de ses petits, qui fut touché et, poussant un cri déchirant, s'enfuit dans les buissons (je ne me souvenais plus que l'œilleton du fusil avait été gauchi par Vassine). Je perdis une heure à chercher cet oiseau blessé. En vain. L'imaginer agonisant dans un fourré me fit oublier ma faim.

C'est ce jour-là que je commençai à tousser, frissonnant sous mes vêtements qui résistaient mal à la morsure du vent. Nous étions partis au début du mois d'août et, à présent, trois semaines plus tard, le froid balayait les petits paradis de tiédeur encore préservés dans les vallons ensoleillés…

J'étais devant un choix qui m'offrait peu de chances. Continuer la marche, sans nourriture, et me laisser rattraper par la neige qui n'allait pas tarder à tomber. Ou bien retourner sur mes pas, dans l'idée d'atteindre l'Amgoun avant l'arrivée de vrais froids. Et mourir quand même, m'égarant dans un lacis de cours d'eau bientôt pris de glace.

Ce constat me priva de sommeil. Je mâchai une poignée de baies, ma seule alimentation depuis deux jours. La nuit était calme, richement étoilée. Les feux allumés par la fugitive rougeoyaient faiblement. Je me levai et fis quelques pas en direction de ces braises…

Une ombre passa, cachant l'un des feux. Visiblement, la femme était debout et s'apprêtait à partir. Cette pensée m'effraya! Elle s'en allait en secret, me laissant seul, incapable de retrouver le chemin, éreinté par la fièvre, manquant de vivres… Les doigts gourds de froid et d'angoisse, je démontai la tente, l'attachai à mon sac, me mis en route. Ma toux, en aboiements rêches, se faisait entendre loin dans le silence de la taïga.

Le visage écorché par les branches, je rejoignis le campement de la femme. Trois monticules de brandons et, tout autour, l'obscurité complète, aucun indice sur la direction qu'elle avait choisie.

Je ne tenais plus sur mes jambes. M'affalant près d'un feu, je sentis que le sol était tiède. Une couche était aménagée à cet endroit et sous une brassée de rameaux de sapin se trouvaient des braises bien éteintes mais qui offraient encore cette chaleur sèche, lente. Je m'y étendis et, tout de suite, me relevai, discernant une odeur de viande grillée. Ma respiration encombrée me privait d'odorat et ce fut la violence de ma faim qui me poussa à fouiller dans les tisons…

La trouvaille était inespérée – une carcasse d'oiseau à moitié carbonisée, mais sur laquelle mes dents découpèrent des lamelles de chair qui crissaient délicieusement dans ma bouche.

Quand, rassasié, je me levai pour repartir, l'impasse qui me guettait se présenta de nouveau. La poursuite allait m'épuiser et m'achever. Mais rebroussant chemin et réussissant par miracle à m'orienter, je ne pouvais que revenir bredouille et jouer le rôle que Louskass avait déjà écrit pour moi : déserteur ayant transmis vêtements et armes à l'évadée. Et je ne savais pas ce qu'il avait pu inventer, depuis, comme accusations !

L'unique solution était donc, comme avant, la capture de la femme. Le repas carné m'avait redonné de l'énergie. Pour m'échapper de la taïga, oui, pour « m'évader » à mon tour, je me sentais capable d'attaquer la fugitive, de la tuer même.

La clarté du matin m'aida à rattraper mon retard. Débouchant au bord d'un petit lac, je m'arrêtai : la femme marchait lentement et semblait peu préoccupée de me savoir sur ses traces. Mon entrain guerrier s'épuisa, le mal revint, enveloppant ma tête d'une pesanteur brûlante, me lacérant les poumons d'une toux de plus en plus âpre, et, à travers ma torpeur, une voix plaintive, celle du « pantin de chiffon », implora : « Pourvu qu'elle n'accélère pas. Et surtout qu'elle se laisse prendre ! Je veux rentrer. Je veux recommencer à vivre comme avant. »

Je n'avais plus la force de mépriser celui qui parlait en moi.

Le lendemain, je me traînai vers le bivouac que la fugitive venait de quitter. Les restes de son repas furent, cette fois, plus abondants : le dos d'un lièvre, des bolets qui grillaient dans les cendres et, oublié sur les feuilles mortes recouvertes de givre, ce bout de taïmen. J'avalai tout, allongé sur une couche de branchages dont le bois gardait la tiédeur des braises éteintes. Comme la veille, la force que je retrouvai fut happée par cet unique but : la capture qui me rendrait une vie propre, saine, remplie de désirs.

Nous allions toujours vers le nord. La femme, vêtue de sa blouse grise de prisonnière, semblait ne pas souffrir des rafales qui me glaçaient la poitrine. Elle donnait parfois l'impression d'hésiter quand, à cause d'une tourbière ou de l'absence de gué, il fallait tourner, s'enfoncer dans la forêt. Ces indécisions me sauvaient – je réussissais à regagner quelques dizaines de mètres.

À la chute du jour, la distance entre nous s'était tellement réduite que je crus pouvoir enfin lancer une attaque. Je me mis à courir, m'étranglant de toux, le regard flottant, les tempes percutées de cognements. Malgré mes longues foulées, j'avais l'illusion de rester sur place…

Il me fallut plusieurs minutes pour me rendre compte que le sentier montait et que la course au milieu des pins nains ne pouvait être que ce pénible piétinement. Quand la piste tourna, je trébuchai en accrochant l'un de ces petits troncs tordus, tombai, les yeux fixés sur la femme qui s'en allait sans hâte…

Cet arrêt m'apporta une lucidité désespérée. Je m'avouai que cette dernière tentative visait un dénouement à tout prix, oui, même au prix de ma mort, ce qui se serait produit si je m'étais jeté sur l'évadée. Elle m'aurait envoyé une balle en pleine tête ou dans une jambe, pour me laisser pourrir en attendant le passage d'un carnassier. Mon attaque était un suicide déguisé.

Elle s'éloignait, me laissant seul – cette loque qui ne tenait plus debout et n'espérait même pas avoir la force de ramper jusqu'à un improbable bivouac.

Sa silhouette rapetissait. Un pas, un autre, et déjà le crépuscule escamotait le léger balancement de sa démarche. Ma pensée enfiévrée me fit imaginer le vide qui allait se former au milieu des arbres, après son départ…

Soudain, il me sembla qu'elle n'avançait plus ! Je me relevai, m'agrippant à une branche, aiguisai mon regard… Non, la femme ne bougeait pas, paraissant hésiter devant la direction à prendre. J'allai vers elle, me servant de mon fusil comme d'un bâton.

Elle se retourna à cet instant et, invraisemblablement, donna l'impression de m'attendre !

Je récupérai la distance habituelle entre nous, celle de la portée d'une voix, ou plutôt de ma toux. La fugitive obliqua vers un creux recouvert d'épicéas. Une demi-heure plus tard, comme si elle avait deviné que j'étais à bout, elle s'arrêta pour la nuit.

Je me hâtai de trouver un endroit à la fois protégé du vent et me permettant de surveiller ses feux.

Un peu à l'écart de notre piste, j'enjambai une petite rigole, me frayai un passage à travers de grandes fougères roussies par le froid et, tout à coup, écarquillant les yeux, je vis les rondins d'un abri de chasse !

L'espoir de dormir sous un toit me fit tressaillir de bien-être. Je longeai le mur, découvris à tâtons la porte, entrai, craquai une allumette – juste le temps de voir, dans un coin, une paillasse et de m'y laisser tomber.

Je me réveillais souvent, craignant de manquer le départ de la fugitive. Plusieurs fois, je m'obligeai à mettre la tête dehors, sous un vent glacial, et à épier, derrière le balayement des branches, les feux de son bivouac.

Mon sommeil cédait parfois devant l'angoissante sensation d'être observé par quelqu'un – une présence muette au fond de cet exigu abri…

Dans des bouffées de fièvre, ma pensée se brouillait, brassant des paroles qui se croisaient, des visages qui empiétaient les uns sur les autres. J'entendais Boutov parler pendant l'une de nos beuveries, après notre tentative de violer l'évadée. Conscient de notre ignominie, il maugréait : « C'est ça qui fait de nous un troupeau – notre envie de baiser. Ceux qui nous gouvernent n'ont pas besoin d'un fouet, ils nous tiennent par les couilles. Nous avons peur de perdre nos petits plaisirs et, du coup, nous sommes prêts à obéir à n'importe quel salaud… » Vassine chuchotait, avec un sourire peiné : « Il faut toucher le fond, Pavel, c'est la meilleure chose qui puisse arriver à un homme. Après ma première année de prison, j'ai commencé à éprouver cette liberté-là. Oui, la liberté ! Ils pouvaient m'envoyer dans un camp au régime plus sévère, me torturer, me tuer. Cela ne me concernait pas. Leur monde ne me concernait pas, car ce n'était qu'un jeu et je n'étais plus un joueur. Pour jouer, il fallait désirer, haïr, avoir peur. Moi, je n'avais plus ces cartes en main. J'étais libre… »

Je m'assoupissais, ces visages s'estompaient. Restait la certitude troublante d'un regard qui me fixait dans le noir. Me levant, j'entrouvrais la porte, m'assurais que les feux de la fugitive brûlaient toujours, me recouchais. Et comme pour répondre à Vassine, je me demandais si mon incapacité à continuer la marche n'était pas la sortie du jeu dont il avait parlé.

Vers cinq heures du matin, je me préparai au départ. Dehors, le triangle de braises luisait encore, la pluie avait cessé et la taïga gardait un silence figé, massive. Toute la chaleur de l'univers semblait concentrée dans la brûlure de mes halètements.

Je craquai une allumette, parvins à raviver la mèche d'une bougie fondue dans une boîte de conserve, tirai de mon sac ce qui me restait de la nourriture, mangeai.

C'est en me relevant que, involontairement, j'éclairai ce coin de la pièce…

Je ne laissai pas tomber la bougie, ne me ruai pas hors de la maison. La nuque collée au chambranle, je dus imiter, peut-être, l'expression de celui qui me fixait.

Un cadavre assis, le dos contre le mur, les jambes allongées, les bras abandonnés sur le plancher. Son visage émacié et cireux était celui d'une momie, ses cheveux d'une blancheur bleuâtre bougeaient imperceptiblement, tout comme ses vêtements – à cause des insectes que la lumière avait dû déranger. Sa jambe gauche portait, à la cheville, une grosse entrave de fer – un piège à ours. Grâce au dessèchement, l'homme ne paraissait pas atteint de putréfaction. Ses traits gardaient même une certaine expression, un rictus aigri, et semblaient animés malgré ses orbites vides. Son menton baissé lui donnait l'air de quelqu'un qui observait l'état de son corps et surtout cette cheville écrasée dans les mâchoires du piège.

Revenant à moi, je vis un sachet en toile épaisse qui traînait un peu à l'écart. Je tendis le canon de mon fusil, piquai dans le tissu effiloché. Des petits grains brillants coulèrent lentement sur le sol. De l'or, pensai-je, me rappelant dans un vague revif d'intérêt ce que ce métal signifiait pour les hommes. Je retournai le fusil et, sans éviter un sentiment de sacrilège, assénai un coup de crosse sur le piège…

Avec fracas, ce gros dentier d'acier sauta vers moi. Je reculai d'un bond. La vis qui retenait le ressort rouillé venait de céder. Déplacé par la secousse, le cadavre se détourna et regardait à présent vers la porte.

Je soufflai la bougie, sortis dans le noir, les yeux d'abord aveugles puis retrouvant, derrière les arbres, les trois points rouges du bivouac. Je ne savais plus pourquoi je m'avançais vers ces feux. Le cadavre venait de me montrer ce qui allait m'arriver. Sauf que, dans mon cas, le piège ne serait pas ces mâchoires à ressort mais la taïga tout entière, le resserrement glacial de ses nuits. Ce mort était ce que j'allais devenir. Ainsi m'inspirait-il non pas du dégoût mais une étrange compréhension.

L'herbe gelée crissait sous mes pas, un souffle polaire était arrivé pendant la nuit. Pourtant, je ne sentais plus le froid et les branches qui me frappaient au visage me procuraient une émotion presque douce – une caresse après ma longue errance solitaire.

La neige commença à tomber au moment où, chancelant, j'atteignais le bivouac de celle que je croyais encore poursuivre.

Elle n'y était pas et, avec une indifférence qui m'étonna moi-même, je compris que cet ondoiement blanc allait effacer ses traces. Ce constat, si résigné qu'il fût, attisa en moi une ultime volonté de salut – le « pantin de chiffon » s'agita, me transmit sa peur, m'incita à agir.

« Et si j'essayais de la héler ? » J'y pensai, imaginant ce cri : « Aidez-moi ! Je suis perdu ! Je voudrais… » Mais, en vérité, je voulais juste revenir dans ma vie d'autrefois, ma vie de pantin.

Aucune nourriture ne traînait, cette fois, près du feu. M'entortillant dans les pans durcis de la tente, je parvins à construire un vague cocon. Je ravivai l'un des feux, fis fondre de la neige dans ma tasse, mangeai mes dernières miettes.

Le voltigement des flocons devint plus dense, effaça la forêt. Je me disais que la mort causée par le froid ressemblerait à un endormissement indolore... Bien sûr, il eût été raisonnable de retourner à l'abri de chasse, bien mieux protégé des intempéries. Je commençai même à espérer : avec la demi-douzaine de cartouches qui me restaient, je pourrais chasser, me rétablir... Le souvenir du cadavre desséché me revint alors. Je me sentis incapable de supporter, en plein jour, son regard. Et puis, ce déménagement n'aurait rien changé. L'espoir d'un sauvetage organisé par le district militaire était mince. Et je n'avais même plus assez de forces pour tirer sur les bêtes, couper du bois, tenter un retour... Je le constatais, sans émotion, poussais une branche dans le feu, m'assoupissais.

Et je ne remarquai pas que la lumière diminuait déjà et que la nouvelle nuit arrivait.

Je retins distinctement ma dernière pensée avant l'évanouissement. Essayant de couvrir mon corps avec le peu de vêtements que j'avais, je m'emmitouflais le torse mais laissais geler mes jambes. Couvrant ma tête, je dénudais le dos. Je pus me rendre compte de l'aspect risible de mes contorsions mais je n'avais plus le courage de quitter mon fourreau de toile, casser des branches, alimenter le feu. Le glissement vers l'inconscience fut doux, la souffrance paraissait déjà derrière moi.

Ce fut un bref sursaut de douleur qui m'éveilla. Depuis mon enfance, je connaissais cette sensation de brûlure : les mains glacées qu'un enfant met sous un filet d'eau chaude, et il gémit car le sang afflue trop brutalement vers ses doigts...

Je sentis le même tiraillement dans mon bras gauche, le plus exposé au froid et qui recevait, inexplicablement, une vague de chaleur. Repoussant le bout de toile qui protégeait ma tête, je vis que mon feu brillait encore, écartant la nuit, et c'était donc sa flambée qui me ramenait à la vie.

Pendant quelques minutes, j'accumulai cette coulée ardente, la buvant avec mes lèvres engourdies. Puis je m'assis sur ma couche, découvrant la petite clairière, déjà tout enneigée, et que les arbres encerclaient de leur garde muette et austère.

Un bref crépitement se fit entendre soudain derrière moi. Je pivotai et ma pensée confuse me fit imaginer le cadavre qui aurait quitté son abri et serait venu jusque-là…

Ce que je vis était presque plus menaçant : à une dizaine de mètres, un petit feu brûlait, entre deux mélèzes, et une forme humaine, installée près des flammes, me tournait le dos. Les plis de la bâche qui la recouvrait empêchaient de l'identifier mais je savais que seule la fugitive pouvait se trouver là.

Tout ce que j'allais faire s'enchaîna dans mon esprit en une suite de gestes évidents. Capture, retour au cantonnement, bonheur de renouer avec ma vie d'avant… L'intuition me suggéra de ne pas empoigner mon fusil – le chargeant, j'aurais réveillé la femme, qui, plus habile, aurait devancé mon tir. Non, il me fallait saisir son arme à elle – la menacer, la blesser si nécessaire…

Le sommeil et la chaleur mobilisèrent en moi ce reliquat de forces que le corps préserve pour des occasions mortelles. Je me dégageai de mon cocon, me relevai et, durcissant mes muscles, bondis, me projetant vers l'évadée…

Et je tombai tout près d'elle, ma main tendue vers son fusil.

Hébété de frayeur, je constatai que la cheville de ma jambe gauche était liée par une corde attachée à une racine.

La femme se leva lentement, attrapa un tison et, venant à moi, éclaira mon visage. Trop effrayé, je ne pus noter que la dure beauté de ses traits et une cicatrice sur le menton, la trace laissée par la balle de Ratinsky.

Dans son regard, l'hostilité céda la place à une tristesse, une compassion même, que je reconnus au frémissement des commissures de ses lèvres et au léger balancement de sa tête, l'expression qui me renseigna sur mon état. Je crus ne pas avoir connu cette attitude de douleur partagée depuis très longtemps. Depuis mon enfance, peut-être, du vivant de ma mère.

Je tentai de parler, pensant devancer ses questions. Elle secoua la main, me montrant qu'elle n'avait pas besoin de mes justifications. Et surtout ma voix s'étranglait déjà dans une toux pénible, éviscérante. La maladie que j'avais pu juguler, le temps de cet assaut manqué, revenait, me brûlant les poumons, enflammant mon souffle. Je distinguais mal les gestes de la fugitive, conscient seulement qu'elle m'aidait à me redresser.

Nous nous éloignâmes lentement de ce lieu trop repérable à cause de la petite isba de l'orpailleur. Comprendre la logique de notre marche me permit de tenir debout durant cette matinée neigeuse.

Pendant une halte, la femme me fit manger de la viande grillée et me fit avaler une boisson très chaude. Je sentis glisser sur mon visage, comme chez quelqu'un d'autre, un sourire et aussi des larmes… Puis le ciel s'assombrit et je ne pouvais plus dire si c'était le crépuscule ou bien une perte de connaissance dont je sus percevoir la venue.

Je revins à moi au milieu de la nuit, dérangé par une carapace rugueuse qui, à chaque inspiration, me grattait la poitrine. Inquiet, je plongeai la main sous ma vareuse et mes doigts y trouvèrent une étrange matière, semblable à une fourrure enduite de colle. Je me relevai sur un coude, voulant me débarrasser de ce cilice tant il me râpait la peau, mais la voix de la femme murmura : « Laisse… Cela pique mais c'est pour ton bien… »

Les braises étalées au sol éclairaient faiblement notre refuge : mes deux tentes que la fugitive avait emboîtées l'une dans l'autre en repliant la toile du bas pour pouvoir allumer le feu. Une tasse d'aluminium y chauffait – celle de Vassine, pensai-je avec un serrement au cœur. La femme suivit mon regard, prit la tasse, l'approcha de mes lèvres. Je reconnus ce breuvage doux-amer qui avait apaisé ma toux : une tisane épaisse dont le dépôt dégageait une senteur de résine de conifères et picotait la langue.

Me laissant retomber sur mon tas de branches, je regardai la « Toungouze » avec une attention douloureuse, comme si son expression avait pu m'expliquer tout ce qui s'était passé et ce qu'elle comptait faire de moi. Ses traits restaient neutres : des yeux bridés, des pommettes hautes d'Asiate, une bouche figée dans un pli de silence. Ses cheveux avaient encore un peu repoussé et leur noirceur lisse dissimulait à présent les lignes du crâne…

Elle reprit ma tasse, la remplit de neige, la remit sur les braises. Puis, sans un mot, elle retira le « cilice » posé sur ma poitrine et je vis qu'il s'agissait d'une plaque de mousse séchée et chauffée au feu. Elle l'étala sur un treillis de branches, au-dessus des braises, la laissa accumuler la chaleur et, de nouveau, la glissa sous ma vareuse. Une onde lente de bien-être me pénétra, je respirai doucement de peur de déclencher une quinte. Le sommeil prolongea ce que j'étais en train de vivre : le sentiment d'exister loin de ce corps qui s'accrochait à sa survie, loin de mon passé, du monde des autres où je n'avais plus de rôle à jouer.

Au quatrième jour, nous reprîmes la route. La première offensive des neiges nous avait mis en garde et recula, cédant la place à une arrière-saison brumeuse qui offrait aux arbres et aux bêtes le temps de se préparer au véritable hiver, à ses blizzards et ses grands froids.

Vers midi, un souffle humide et doux laissa sur mes lèvres un léger goût salé. J'avais l'impression de sortir d'un long évanouissement et, récupérant mes forces, je ne parvenais plus à faire taire cette pensée qui revenait avec insistance : « Mais qui m'oblige à la suivre maintenant, cette femme ? »

J'avançais derrière elle, comme si notre but était devenu le même. Montées, pentes, passages à gué. J'imaginais la facilité avec laquelle j'aurais pu ralentir le pas, tourner sans être vu et, déroulant notre chemin dans le sens inverse, arriver au cantonnement une semaine plus tard... Cette idée me hantait. Notre progression pénible à travers les pins crochus d'un stlanik me fit ressentir l'absurdité de cette marche. Je me souvins du jour où j'avais découvert une blouse rapiécée et la présence toute proche de l'évadée. Je ne l'avais pas trahie, lui sauvant la vie. Tout comme elle qui venait de me guérir. Donc, nous étions quittes !

La seule raison qui me retenait était d'un égoïsme peureux : je n'étais pas sûr de retrouver le chemin du retour.

Oui, le pantin m'habitait encore.

Piétinant sur le sable d'une rive, je commençai à me laisser distancer par la fugitive. Elle ne le remarqua pas et se trouva bientôt à une trentaine de mètres devant moi. Je la voyais cheminer – seule, silencieuse, une silhouette mince longeant une rivière qui reflétait les créneaux noirs de la forêt et la dorure d'un nuage... Les paroles de Vassine résonnèrent en moi avec leur calme certitude : suivre, jour après jour, une femme qui ignore votre existence comme vous ignorez sa destination, ne vivre que pour cette marche infinie, ne rien demander d'autre. Un bref instant, l'exaltante démence de ce rêve m'enivra. Je le vivais déjà, et plus intensément même, car la femme savait que je la suivais et en paraissait heureuse.

Elle s'engagea dans une montée. Je lui emboîtai le pas, dégrisé et ne sachant plus trouver la moindre logique à ce périple : encore une colline qu'il faudrait gravir, me cassant les pieds sur les racines, luttant contre les épiniers. Et après ?

Cette fois, l'escalade me parut interminable. Je désespérais d'atteindre un col et de dévaler ce mont de l'autre côté. « Non, ça suffit, il faut qu'elle s'explique », me disais-je, de plus en plus excédé. Le pantin en moi me suggérait la circonspection : je ne savais pas ce que la femme avait en tête, il valait mieux évoquer mon retour à mots couverts, sans la provoquer…

Je m'efforçai de la rattraper pour entamer, au cours d'une halte, une conversation décisive. Le devinant peut-être, elle s'arrêta et c'est alors que je vis la ligne de crête, ou plutôt le sommet plat de la colline – notre piste allait, visiblement, se prolonger sur l'autre versant.

Je rejoignis la femme, tout essoufflé, m'apprêtant à lui annoncer mon départ. Mais avant que je commence à parler, elle déclara sur un ton qui ne put cacher une certaine hésitation tant ce qu'elle disait était invraisemblable :

« Voilà… Nous sommes arrivés. »

Ses yeux brillaient, embués de larmes. Je crus qu'elle parlait de notre halte de nuit et je ne comprenais pas pourquoi ce choix la troublait autant. J'étais sur le point de jeter par terre le rouleau de nos tentes, mais elle m'attrapa la main et m'entraîna vers un éperon rocheux qui couronnait la colline. J'y allai, à contre-cœur.

Ce que je vis, arrivant là-haut, fut impossible à exprimer. L'infini, le néant, la chute dans le vide... Ma pensée articulait ces mots qui s'effaçaient devant la vertigineuse beauté qui n'en avait plus besoin. Une légère brume voilait l'horizon. L'océan uni au ciel était l'unique élément qui nous entourait de toutes parts. Et le soleil, déjà bas, renforçait cette sensation de fusion, recouvrant tout d'un poudroiement doré, ne laissant pas le regard s'accrocher à un détail. Nous étions, je le voyais à présent, au point culminant d'une petite péninsule et la hauteur du lieu créait cet effet de lévitation au-dessus de l'immensité océanique.

« C'est là où je dois aller... », me dit la femme, m'indiquant l'étendue des vagues.

L'idée qu'elle devenait folle me parut évidente. Mais peut-être l'était-elle dès le début... Je l'aurais vraiment cru si, soudain, un pointillé de quelques îles ne s'était pas profilé dans le scintillement des eaux. L'une d'elles semblait proche du rivage et exposait un relief accidenté.

« Et toi ? » Le regard toujours porté au lointain, la fugitive posa sa question sur un ton qui se voulait presque machinal. « Tu veux rentrer chez toi, c'est ça ? »

J'aurais pu tenter d'expliquer que ce qui nous faisait face m'effrayait par sa démesure. Que l'homme ne pourrait jamais y mener une existence raisonnable, une vie «sociale». Et que, enfant, j'avais déjà observé ces forces sauvages, oui, ce fleuve déchaîné qui avait tué mes parents... Des arguments plus vrais que les raisons que je balbutiais et dont la fausseté m'écœurait : mon devoir de militaire, l'inquiétude de mes proches (je m'inventai une famille), mon travail à l'université...

Elle m'écoutait tout en préparant notre abri de nuit. Ou plutôt, elle ne m'écoutait plus. Elle avait juste besoin de savoir si je restais ou non. Pendant notre repas, elle parla peu, et quand j'essayais de l'interroger sur son passé et sur sa vie à venir, elle répondait vaguement : «La prison ? C'est pour ne pas y retourner que je suis là... Difficile de survivre dans la taïga ? Moins que dans un camp...»

Je connaissais déjà son prénom, Elkan. Je savais qu'elle appartenait au peuple autochtone des Néguidales. Mais lorsque je lui demandai son nom de famille elle murmura : «Pour une évadée un numéro suffit, non ?»

Je dormis peu, angoissé par une issue qui me semblait de plus en plus probable : la fugitive se lève, sans me réveiller, s'empare de nos deux fusils et disparaît, me laissant dans ce lieu désert. Ou bien elle me loge une balle dans la tête avant de s'en aller !

Elkan vaquait, pourtant, à une routine très paisible. Je la vis apporter une brassée de branches pour raviver les feux, graisser ses bottes avec la peau d'un taïmen et, à la lueur des flammes, raccommoder un vêtement...

Au matin, un cliquetis métallique me réveilla. Je regardai dehors : armée d'une pierre, elle donnait de petits coups sur le canon de mon fusil. Elle finit par l'épauler, visa un arbre, tira. Un rameau cassé tomba sur la couche des feuilles mortes.

J'essayai d'imiter un bâillement d'insouciance. « Alors, elle marche, ma vieille escopette ? » Elle répondit, sans se tourner vers moi : « Maintenant, elle marche. L'œilleton avait été gauchi. Tu auras besoin de bien viser pour te nourrir, pendant ton... retour. » Sa voix s'altéra en prononçant ce mot. Elle se reprit vite : « Assieds-toi, je vais t'expliquer le chemin. »

Avec précaution, elle déploya un large rouleau d'écorce prélevé sur le tronc d'un bouleau. L'itinéraire y était marqué à l'aide d'une plume d'oiseau. L'« encre » provenait du jus de baies écrasées dans sa tasse. Un tracé rosâtre indiquait la succession des affluents de l'Amgoun, les gués, les repères... Et les terrains marécageux à éviter. La simplicité du dessin m'inquiéta.

« Tu es sûre que c'est aussi facile que ça ? demandai-je en m'efforçant de ne pas paraître trop suspicieux.

À l'aller, j'avais l'impression de tournoyer dans un labyrinthe ! »

Elle me fixa avec dureté. « À l'aller, il me fallait brouiller les pistes, pour rester en vie. Maintenant, le chemin est simple – pour que toi tu restes en vie… En marchant bien, tu mettras quatre ou cinq jours, pas plus. »

Je récupérai mon fusil réparé, l'une des tentes, du poisson fumé et ce mélange de fruits d'églantiers et de plantules d'épinettes qui m'avait aidé à guérir. Elkan me tendit une large cape, celle, je le devinais à présent, qu'elle avait confectionnée pendant la nuit, avec la toile de sol de nos deux tentes. « La capuche s'enlève, précisa-t-elle. Cela peut être utile… »

Il me fallait dire un mot d'adieu et partir vite avant qu'elle ne change d'avis. Le pantin, mon frileux ange gardien, me pressait de m'en aller. Mais, étouffée par son babil peureux, une autre voix nommait la vraie cause de mon hésitation, un sentiment tout autre que la peur.

« Qu'est-ce que tu vas raconter à tes… chefs ? me demanda soudain Elkan, posant toujours sur moi son regard dur.

– Euh… Je dirai que je t'ai perdue de vue et que… comme l'hiver arrivait, j'ai dû rebrousser chemin…

– Ils vont t'accuser de m'avoir laissée filer et tu iras en prison. »

Sa certitude me troubla.

«Que pourrais-je dire d'autre, puisque c'est la vérité? J'aurais pu abandonner la poursuite et rentrer bien avant...

– Mais tu ne l'as pas fait. Pourquoi?»

Sa voix résonna sourdement, dissimulant l'espoir d'une réplique qui n'avait plus rien de commun avec cette traque et le monde où je comptais revenir. C'est peut-être à cet instant que je perçus sa présence aussi intimement: cette vie meurtrie à portée de ma main, ce visage pâle, beau, marqué d'un éclat de balle et qui se tendait vers moi, espérant ma réponse, ses yeux qui m'observaient avec un reflet de tendresse désemparée. Oui, avec cette douceur que je n'avais plus connue depuis mon enfance.

Je crus comprendre pourquoi j'hésitais à partir... Le pantin se tortilla dans mon cœur.

«Justement, je dirai à mes chefs que j'ai tout fait pour t'attraper et que, finalement, je suis tombé malade et que...»

Elkan me coupa la parole d'une voix qui, malgré sa fermeté, garda, un temps, sa sonorité de tendresse.

«Non. Ils ne te croiront pas. Il faut leur dire que... que tu m'as tuée... Pendant la traversée d'une rivière. Mon corps a été emporté. Impossible de le récupérer. Oui, je suis morte. Tu leur diras ça. Bonne route...»

Elle me tourna le dos et se mit à descendre la colline en direction du rivage.

La dernière vision que je gardai d'elle fut sa silhouette projetée sur l'infini de l'océan.

Elkan avait bien évalué la durée du trajet : j'allais mettre moins de cinq jours pour revenir au cantonnement.

Le temps calme et tiède aurait presque fait penser au printemps s'il n'y avait eu tout ce feuillage bruni par les gels des jours précédents. J'avançais vite, foulant le sable des berges avec l'énergie d'un athlète qui s'élance pour sauter.

La carte sur l'écorce de bouleau, certes très sommaire, indiquait le plus important : les tournants du parcours et la longueur des étapes. Je mangeais peu, ne faisais pas de halte et, le matin, reprenais la route dès la première lueur du jour. La taïga se refermait derrière moi, tel le rideau retombant sur une vie définitivement close.

Bien sûr, les rappels de notre équipée, à l'aller, resurgissaient parfois. Je reconnus la colline où j'avais surpris l'évadée et son travail de couture. Puis cette hauteur où Vassine avait enterré le chien… Mais ces souvenirs restaient de simples repères d'orientation que je notais, situais, oubliais.

Plus je répétais, en pensée, la version des faits que la fugitive m'avait suggérée – sa mort – plus ce mensonge me paraissait convaincant et difficile à démentir. La poursuite, un coup de feu pendant la traversée d'un gué, son corps entraîné par les flots vers les rapides. L'histoire s'écrivait en moi, je l'entendais interprétée par la voix fébrile du pantin. Lui, le garant de mon désir de vivre, veillait au grain, prévoyant les questions pièges, les doutes, la méfiance. Ma légende paraissait inattaquable : je vise, je tire, je tue et, vu la force du courant, ma proie m'échappe. De toute façon, comment aurais-je pu la traîner à travers la taïga sur des dizaines de kilomètres ?

Finalement, c'était moi, le héros de l'opération ! Je revenais pour annoncer que la mission était accomplie, ce qui rachetait tous nos échecs. Très sérieusement, je commençai à envisager les félicitations de Boutov ou même peut-être une décoration. Le retour à Leningrad allait ressembler à un beau réveil après une longue nuit de fièvre.

Ce fut en rêve que m'apparut celui que j'avais failli être. J'étais étendu tout nu dans la neige et une femme allumait autour de mon corps des feux fragiles qui s'éteignaient sous les rafales. Elle reprenait sa lutte contre le froid, chacune des flammèches me procurait une brève survie. Et, comme souvent dans ces songes violents et mutiques, je ne parvenais pas à dire l'essentiel : ces gestes, dans leur tendre abnégation, appartenaient à une vie inconnue, la seule à laquelle je désirais croire...

J'arrivai au cantonnement à minuit passé. Dans la bicoque du poste de contrôle, le planton braqua son arme sur moi comme sur un fantôme puis, sortant de sa somnolence, bougonna : « Oui… Je suis prévenu. Mais je dois appeler le sergent de garde. »

Celui-ci apparut, me dévisageant d'un air à la fois intrigué et défiant. « La consigne du capitaine Louskass est de vous… oui, de vous mettre aux arrêts. Rendez votre arme et suivez-moi ! »

Je bafouillai des explications, parlai d'une erreur, exigeai qu'on avise immédiatement le commandant Boutov… Il ne m'écoutait pas, marmonnant : « J'ai reçu l'ordre, je l'exécute. »

Le fusil du planton me poussa dans le dos, le sergent ouvrit la marche, je ne pus que lui emboîter le pas.

Ils m'emmenèrent vers l'un des abris anti-atomiques, me firent descendre les marches, rabattirent la lourde trappe… Dans l'obscurité, je m'assis sur un grabat, n'éprouvant pas trop d'inquiétude, me disant qu'au matin, annonçant à Louskass avoir abattu la fugitive, je serais libéré, réhabilité, récompensé même.

J'allais m'allonger quand un crissement se fit entendre et la flamme d'un briquet brilla. Un visage inconnu s'éclaira et me fit sursauter – une face tuméfiée, comme celle d'un ivrogne, couverte d'ecchymoses, posait sur moi le regard d'un œil ouvert, l'autre disparaissant sous une poche de sang violacé.

L'homme me fixait sans hostilité, avec un semblant de sourire même.

« Ils m'ont bien arrangé, n'est-ce pas, Pavel ? » Il ramassa un long bout de bois, l'alluma, le planta entre deux planches du mur. Cette lueur, plus constante, me permit de mieux l'observer : la racine du nez barrée d'une plaie, la croûte noire entourant les lèvres déchiquetées et, quand sa bouche s'ouvrait sur une parole, les éclats des dents cassées.

« Mark ! » Je le criai, me portant vers lui, tendant mes bras comme si j'avais été capable, en le touchant, de lui rendre son visage ancien. « Mais qui… mais comment ? » Je m'étouffais car la réponse devenait prévisible.

Vassine sourit un peu plus et grimaça en parlant tant l'étirement de ses lèvres devait lui faire mal.

« Le sergent s'est trompé – il n'aurait pas dû nous mettre ensemble. Là, il va réveiller Ratinsky qui te fera enfermer dans un autre abri. Mais nous avons quelques minutes. Donc, écoute-moi bien, Pavel. Louskass et ses hommes torturent à mort. J'ai vu Boutov, après les premiers interrogatoires, je ne l'ai pas reconnu, comme toi qui ne m'as pas reconnu tout à l'heure. Il n'avait plus de visage, notre commandant. Les deux épaules cassées. Et les doigts aussi. Hier, il est mort sous la torture. Le cœur. Un réserviste qui apporte ici la bouffe m'a dit avoir vu le cadavre… Louskass a besoin de prouver que nous avons comploté pour saboter la mission. On peut le comprendre : s'il n'obtient pas nos aveux, il sera obligé de reconnaître sa défaite. Enfin, Boutov ne dira plus rien. Moi, dès le début, j'ai refusé de mentir. Louskass sait que je n'ai pas tellement peur de mourir. Donc, il va s'acharner sur toi… »

Je m'approchai de lui, lui attrapai les mains, les secouai. Ma voix claqua avec violence : « Il faut informer le commandement du régiment, Mark ! On n'est pas des criminels ! C'est le chef du camp qui est responsable de l'évasion de cette fille. Nous n'y sommes pour rien ! »

Vassine écarta ses mains et je vis que ses poignets étaient entravés. De nouveau, un sourire se mua en grimace de douleur.

« Justement, Pavel. Tu penses bien que ni le chef du camp ni Louskass ne voudront jamais s'accuser d'avoir raté la capture. Mais… Dis-moi… La fugitive est toujours en vie ? »

La trappe claqua, Ratinsky surgit, suivi de deux soldats qui nous aveuglèrent avec leurs torches électriques.

« Attachez-lui les mains dans le dos ! » ordonna-t-il. Je me laissai faire, certain de pouvoir m'en tirer bientôt, en leur annonçant la mort de l'évadée. Je me retournai pour voir Vassine. Il me regardait, attendant ma réponse. « Oui, toujours », murmurai-je rapidement. Il baissa la tête et je vis qu'il souriait.

Pendant mon transfert vers un autre abri, j'essayai de parler à Ratinsky : « Camarade lieutenant, j'ai une information très importante à vous transmettre. Notre mission est remplie ! Pouvez-vous le dire au capitaine Louskass ? »

Il articula avec un sifflement haineux : « Je préfère que tu me le dises demain. La nuit porte conseil. Surtout quand on dort dans un lieu qu'on aime… » Un coup de crosse entre mes omoplates me dirigea vers l'ouverture de l'abri que je reconnus dans le croisement des faisceaux des deux torches. Le numéro dix-neuf.

L'un des soldats descendit le premier, l'autre me poussa vers la trappe et s'y engouffra à ma suite. Ratinsky nous rejoignit en hurlant : « Entravez-lui les pieds et faites-le tomber ! » Le « pantin » frémit en moi. Je n'opposai aucune résistance aux soldats et, les chevilles liées, m'écroulai sur le sol. Cherchant à donner à ma voix le plus d'humilité possible, je m'adressai à Ratinsky : « Camarade lieutenant, l'évadée que nous avons poursuivie ensemble, je l'ai... »

Un coup de botte au visage fit claquer mes mâchoires, m'arrachant un criaillement surpris : « Mais, attends ! » Je ne pouvais pas encore croire que les tortures allaient commencer.

Ratinsky me frappa plusieurs fois, visant la tête, puis le ventre. Je me contorsionnais, espérant un répit pour lui dire que la fugitive avait été tuée... C'est alors qu'un coup, plus rude que les précédents, m'atteignit sous le menton, à l'endroit où ma cicatrice formait une « araignée »... Ma vue se brouilla, je hoquetai et, pour quelques secondes, devins inerte.

Je ne perdis pas connaissance mais, émergeant de ce bref étourdissement, je n'éprouvais plus la crampe de peur et d'espoir qui me faisait m'entortiller et gémir sous les coups. Abasourdi, je découvris que le pantin avait disparu !

Ratinsky, incliné vers moi, aboyait des injures, avec un rictus d'où s'envolaient des postillons de rage. J'aurais pu facilement lui raconter que j'avais tué la fugitive. Mais, à présent, je savais qu'aucun supplice ne me ferait dire. Confusément, je devinais que ne pas mentir m'offrait une chance de croire à cette autre vie dont j'avais deviné le sens en voyant la femme marcher vers l'océan.

D'une voix aiguisée par une haine victorieuse, Ratinsky m'annonça : « C'est moi qui ai abattu l'évadée ! Et je l'ai jetée dans l'Amgoun pour ne pas traîner le cadavre. Ne perds pas ton temps à nous raconter n'importe quoi, sale déserteur ! » Il recula d'un pas et m'asséna un coup de pied à la tête...

Je revins à moi au moment où ils refermaient la trappe.

Avec un détachement qui m'étonna, je testai mon corps. Le bourdonnement dans les oreilles dura un moment puis se tut. Plusieurs coups au visage m'avaient certainement défiguré mais je ne ressentais qu'un écoulement de sang, là où ma cicatrice, mon « araignée », s'était rouverte. Les muscles du ventre et les côtes avaient été protégés par le « cilice » de mousse séchée que j'avais gardé sous ma vareuse pour lutter contre le froid. Les mains semblaient intactes, les jambes aussi.

La situation était simple à résumer. Louskass avait donc imposé sa version : grâce à lui, notre équipe avait retrouvé la trace de la fugitive, mais Boutov, Vassine et moi, nous avions voulu faire capoter l'opération. Malgré notre sabotage, Ratinsky avait réussi à tuer l'évadée.

Mon cas était le plus grave car j'avais, en plus, « déserté »… Tout avait été bien ficelé et correspondait à la logique des tribunaux qui, chaque mois, jetaient des milliers d'« ennemis du peuple » derrière les barbelés. Louskass n'avait plus qu'à nous faire avouer ou nous laisser mourir sous la torture, à la suite de Boutov, ce qui m'attendait sans doute, étant donné l'acharnement de Ratinsky.

Malgré la douleur, j'éprouvais de la joie, presque de la fierté, de ne pas lui avoir parlé d'Elkan. Ce mensonge m'aurait sali mais surtout, je le comprenais désormais, il aurait privé Vassine de cette « autre vie », comme il disait. La berge ensoleillée d'une rivière, l'ondoiement des feuilles d'automne et cette marche infinie sur les pas d'une femme qui, seule, connaissait la destination.

L'abri numéro dix-neuf m'était familier jusqu'au plus petit recoin. Je commençai mes préparatifs sans penser au but ni anticiper les dangers. Les semaines passées dans la taïga m'avaient appris un savoir-faire plus instinctif, débarrassé des raisonnements peureux qui retardent l'action.

En rampant dans le noir, j'arrivai sous l'ouverture du conduit d'aération que j'avais cassé durant mon précédent enfermement. Les débris du tuyau jonchaient le plancher. Mes poignets étaient attachés, mais en grattant le sol je parvins à attraper une petite plaque de métal. Son tranchant, après quelques va-et-vient, me libéra les mains, puis les chevilles.

Je soulevai le grabat, appuyai ses planches contre le mur de l'abri, sous la trouée de l'aération. La carcasse de bois me servit d'échelle. J'y grimpai, tombai, recommençai mon escalade et réussis à m'accrocher aux piquets en fer, supports du tuyau désagrégé. Le passage, vertical, était exigu. Ses parois se hérissaient de crochets qui me permettaient de remonter en exécutant des tractions pénibles, spasmodiques. J'étais pareil à un ver traversant l'humus. Les restes du tuyau lacéraient ma vareuse, entaillaient ma peau – j'avais dû abandonner en bas ma protection de mousse séchée.

Au milieu du conduit, son diamètre sembla se rétrécir. Je voyais déjà le ciel constellé, je sentais l'odeur des herbes et des feuilles, mais ma poitrine et mes épaules ne passaient plus dans ce goulot de terre. Sans plus me soucier des crochets qui m'écharpaient, je me mis à vriller mon corps, gagnant à chaque rotation quelques centimètres...

La douleur me rattrapa quand je fus à l'air libre. Je m'étalai par terre, hagard, écorché sous les lambeaux de vêtements. Une voix plaintive retentit dans ma tête et, tout de suite, sans lui laisser la chance de s'incarner en pantin, je repoussai le sol, me relevai, n'entendant plus que le battement du sang dans mes tempes...

L'abri numéro cinq, celui de Vassine, se trouvait non loin du poste de contrôle. J'avançai, fouetté d'une détermination extrême, dans cet état hypnotique qui nous pousse en avant quand toutes les limites de danger sont dépassées et, donc, négligeables. La trappe fermée par une barre de fer s'ouvrit, n'émettant qu'un bref grincement. Je me courbai en haut de l'escalier et chuchotai : «Mark, c'est moi... N'aie pas peur...»

Son briquet s'alluma immédiatement, à croire qu'il m'attendait. Je vis qu'il avait déjà réussi à détacher ses mains et brûlait, à présent, la corde qui lui entravait les pieds. Il voulut se mettre debout, chancela, je dus le soutenir. «Je pensais aller te libérer...», murmura-t-il.

Dans son coup d'œil borgne, je distinguai un reflet de compassion qui me permit de comprendre à quel point mon visage était contus... Le briquet s'éteignit. Vassine reprit, encore plus bas : «Je voulais te dire que tu as fait une énorme connerie en revenant ici. Mais je vois que tu as changé d'avis... Écoute! Le poste de contrôle est bien gardé et de toute façon, avec mon genou cassé, je n'irais pas bien loin. Donc, tu fais exactement ce que je te dis, d'accord? Alors, tu auras une chance de t'en sortir...»

En moins d'une minute, nous arrivâmes en vue du poste de contrôle. La fenêtre de cette bicoque en bois était éclairée. Vassine s'arrêta, retrouva dans l'obscurité ma main, la serra, chuchotant avec une insistance émue : « Allez, j'espère que tu retrouveras la fille ! Si l'autre vie existe... »

En boitant, il alla vers la porte et l'ouvrit largement. J'entendis le cri du planton et le juron lancé par le sergent. Vassine disparut une seconde à l'intérieur, la vocifération redoubla, suivie par le bruit d'un meuble renversé. Les deux gardes surgirent, essayant de maîtriser Vassine qui se battait férocement. D'une main, il agrippait le fusil du planton et, de l'autre, donnait des coups de poing dans la face ahurie du sergent. Mais surtout il les attirait tous les deux à l'écart du poste, du côté de la broussaille. Au milieu de leurs hurlements, sa voix perça soudain : « Vas-y ! »

Je courus vers la bicoque, y pénétrai, enjambai un poêle renversé dont les brandons enflammaient déjà le plancher, et sortis par la porte opposée...

M'engageant dans la forêt, je vis, sur la muraille noire des arbres, onduler le reflet du poste de contrôle qui brûlait. Et de loin s'éleva un long cri qui ne ressemblait plus à la voix de Vassine. Un coup de feu claqua. Le silence, après la détonation, se confondit avec le calme de la taïga.

Dans ma course, je vivais ce qu'aurait éprouvé une bête blessée. J'étais presque nu sous mes haillons. Mon dos et mes épaules saignaient. Ma bouche, déchirée par les coups de Ratinsky, se crispait de douleur quand, me mettant à quatre pattes, je buvais l'eau des courants. La nuit, le froid me secouait, mais je n'allumais que de tout petits feux, pour ne pas me trahir.

Un matin, un hélicoptère de l'armée passa au-dessus de moi, en rasant les sommets des arbres. Je fis comme font les lynx et les loups lorsque la menace vient des airs – m'aplatissant sous les grosses branches basses d'un sapin. Le soir du même jour, le survol se répéta et, surpris sur un terrain plus découvert, je me collai au tronc d'un chêne, me confondant avec son écorce.

Pour Louskass, je devenais une cible bien plus importante que l'évadée. Il craignait sans doute que je ne puisse atteindre une ville, rapporter ses mensonges aux autorités, écorner son irréprochable réputation de chasseur d'ennemis du peuple.

La forêt s'effeuillait, protégeant mal ma fuite. Ce qui me sauvait, c'était la vitesse de mon déplacement et ma connaissance, presque tactile, des endroits que je traversais. Et, les premiers jours, l'oubli de la faim. Le manque de nourriture se fit sentir subitement : en traversant un affluent de l'Amgoun, je remarquai que la rivière, peu profonde, se gondolait sous mes pas, se colorant, puis virant au noir. Pris de vertige, je trébuchai, m'accrochant au vide, la tête remplie de cris, de carillons et, brusquement, de longs échos mats...

L'eau glacée m'éveilla. Je me vis étendu sur la berge – le sable était marqué par la trace de la reptation qui m'avait traîné hors du flux... Je me relevai dans un équilibre incertain et trouvai la force de pousser plusieurs pierres pour dévier une partie du courant. Dans la petite baie qui se forma, je jetai des coquillages écrasés, en guise d'appât, et me mis à guetter la proie, armé d'une branche cassée en pointe... Au bout de quelques minutes, un jeune taïmen s'y montra. Trop faible, je ne pris pas le risque de frapper le poisson avec ma pique. Je me laissai tomber sur lui, l'étreignant sous ma poitrine, dans une grande gerbe d'éclaboussures et de vase remuée. Il se débattit vigoureusement et commença à m'échapper, grâce à sa peau glaireuse.

Je comprenais que je n'aurais pas la chance d'en attraper un autre. Et donc de manger. Et de survivre. Plongeant la tête dans l'eau, je mordis son corps, entre la nageoire dorsale et l'os du crâne.

Je sortis sur la berge, mes mains retenant les soubresauts de ce fuseau argenté, mes dents enfoncées dans les écailles qui vibraient...

À la chute du jour, en dévorant la chair grillée sur les braises, je pris conscience de n'avoir jamais pensé, avec un tel chagrin et une telle reconnaissance, à une parcelle de vivant qui m'épargnait la mort. En vérité, jamais je ne m'étais senti aussi uni à cette vie dite sauvage et à laquelle à présent j'appartenais...

À partir de ce jour-là, un éloignement, plus mental que physique, allait faire évanouir le monde où les hommes se haïssaient tant, le monde de Louskass, de Ratinsky, le monde de l'abri numéro dix-neuf. Un matin, en reprenant ma marche, je me rappelai les coups que j'avais reçus au visage et, très clairement, je compris qu'il n'y avait plus, en moi, aucune envie de vengeance, aucune haine et même pas la tentation orgueilleuse de pardonner. Il y avait juste le silence ensoleillé de la rive que je longeais, la transparence lumineuse du ciel et le très léger tintement des feuilles qui, saisies par le gel, quittaient les branches et se posaient sur le givre du sol avec cette brève sonorité de cristal. Oui, juste la décantation suprême du silence et de la lumière.

Cet écart grandissant effaçait toute angoisse. Je savais qu'il me serait impossible de retrouver les traces d'Elkan et, à plus forte raison, son refuge. Je savais aussi que la neige allait venir, non pas un fugace intermède hivernal mais un déferlement blanc, sans redoux, un sommeil de glace pendant neuf mois. Je n'avais pas d'armes, pas de vêtements chauds. Ma seule richesse était ce briquet que Vassine m'avait donné… Pourtant, l'inquiétude ne me rongeait pas. Le sens de ma fuite se rapprochait désormais de cette « autre vie » dont il m'avait parlé et dont le début ressemblait à une marche sur les traces d'une femme inconnue.

À la fin du cinquième jour, j'arrivai sur la hauteur d'où, en partant, j'avais vu Elkan descendre sur le rivage du littoral… Retrouvant l'endroit de notre dernier bivouac, je décidai d'y passer la nuit. Un feu, bien piétiné et recouvert de branchages, préserva la chaleur jusqu'au matin.

Je me réveillai encore dans le noir et, attiré par la brise qui paraissait moins froide que l'air de la taïga, je montai au sommet de la colline. Les arbres y étaient plus rares, trop malmenés par les tempêtes. Les étoiles se reflétaient sur la surface de l'eau et créaient l'illusion de parsemer la berge et même les sous-bois. Commençant à grelotter, j'étais sur le point de revenir vers ma couche quand, soudain, l'une des constellations me sembla connue. Oui, c'était un triangle de lueurs, d'un éclat plus vivant que la glaciale luminescence du ciel…

Je revins à mon bivouac pour récupérer mes affaires. Et c'est alors que je constatai n'avoir aucune « affaire » à emporter. Le but vers lequel je marchais les rendait inutiles.

Pendant que je descendais la colline, le ciel se mit à blêmir, se teintant de mauve. Les étoiles s'éteignirent, tout comme les lueurs que j'avais cru apercevoir au milieu des arbres.

Je parvins à retrouver, pourtant, l'endroit où je les avais vues. Les cendres ne gardaient pas une trace de chaleur. Elkan avait dû quitter ces lieux depuis plusieurs jours...

Engourdi par le froid, je ne tressaillis pas en entendant une voix qui, venant de la forêt, ressemblait trop à un écho de songe. Au bout de quelques secondes, l'appel se répéta, plus distinct : « Pavel !... » Je me retournai et, ne voyant personne, souris avec ma bouche meurtrie : dans mon sommeil, dans cette taïga sauvage, un inconnu me hélait par mon prénom !

Quand elle apparut, en baissant le canon de son fusil, je ne bougeai pas, dans la crainte inconsciente de me réveiller. Mais elle avança, certainement rassurée de me reconnaître malgré mon visage couvert de sang séché et mes haillons.

Avec une insistance inquiète, elle m'annonça : « Il faut partir maintenant ! Il n'y aura plus d'occasion comme aujourd'hui avant longtemps... »

Je me redressai, interloqué : « Partir où ? », imaginant une nouvelle errance sans fin à travers la taïga.

Elkan me fit signe de la suivre. Nous descendîmes vers un étier qui se jetait dans la mer. Un radeau, long et étroit, était accosté à sa berge. « Ça va être dur mais nous pouvons réussir. Ne me pose pas de questions, essaye juste de m'aider… »

Nous poussâmes le radeau dans l'eau et le courant nous entraîna rapidement vers l'embouchure. L'océan semblait calme – seul l'effort avec lequel Elkan retenait le gouvernail trahissait la puissance du reflux marin.

Le « gouvernail », une planche de bois flotté coincée entre deux rondins, risquait de se déboîter à chaque moment. Je l'empoignai et cette aide arracha à Elkan un soupir rauque de soulagement.

La mer, étale au départ, s'anima rapidement d'une étrange houle – des vagues qui n'avançaient pas mais soulevaient le radeau sur leurs crêtes fixes et l'emportaient par à-coups dans une trajectoire désordonnée. Puis le plat se reformait, donnant une impression d'immobilité.

Le rivage que nous venions de quitter était pourtant déjà loin et notre vitesse syncopée ne dépendait pas des remous qui ridaient la surface. Un courant invisible, massif, nous attirait vers un amoncellement rocheux que nous tentâmes de contourner par la gauche. « L'île du Sud, souffla Elkan. Là, ça va commencer ! »

À l'approche de cet îlot, la mer fut éventrée, découvrant des boyaux de flux qui s'emmêlaient, bouillonnaient, formaient des ondes contraires. Notre radeau torniqua, telle une brindille dans un ruisseau, et soudain ralentit dans un répit inexplicable, évitant les rochers et ses nuées d'oiseaux marins.

Devant nous s'étagea ce que j'avais pris pour une épaisse bande de brouillard – une île plus grande et au relief plus élevé. «Accroche-toi maintenant!» cria Elkan et je vis qu'il fallait la comprendre au sens propre. Elle attrapa une corde fixée aux rondins du radeau, je me hâtai d'en saisir une autre.

La force du courant s'amplifia encore. Les vagues passaient à présent par-dessus le radeau, nous fouettaient et, souvent, revenaient, comme rencontrant un obstacle au milieu du vide marin. Le vent se leva mais c'est la rage de cette marée descendante qui nous entraînait dès le début.

L'île s'approchait à une vitesse tétanisante, se laissant précéder d'une herse de pitons à moitié immergés et des hautes gerbes des ressacs. Et tout droit, devant nous, avançait une muraille de roche, semblable à la proue effilée d'un paquebot, prête à couper en deux notre radeau qui se disloquait déjà.

Nous nous abattîmes sur la planche du gouvernail pour éviter le choc. Le radeau se cabra sur une vague, toucha le rocher et, par contrecoup, fut rejeté vers une grève de galets...

Le calme ensoleillé qui régnait là parut invraisemblable et ce fut la première, et la plus juste, impression que me donna l'archipel des Chantars. Une planète à part où, à quelques mètres de distance, en contournant une falaise, on changeait de mer, de ciel, de saison.

Elkan se mit à décharger sur la rive ses bagages : fusil, outils, toile des tentes...

Perplexe devant le peu de biens que nous possédions, je demandai, sans pouvoir cacher mon désarroi : « Et que... qu'est-ce qu'on va faire ici ? »

La réponse vint, rendant insignifiante toute autre interrogation :

« Nous allons y vivre. »

VI

IV

« Nous allons y vivre »…

L'homme s'interrompit à ces paroles-là, se leva, alla remplir sa théière, la remit sur le feu.

J'émergeai au milieu de la nuit, face à ce Pavel Gartsev dont le récit avait révélé à l'adolescent que j'étais des vérités violentes et tendres, rebelles à la logique du monde. Ce monde qui m'avait toujours semblé fermé, monolithique, inéluctable.

Désormais, il y avait cette poignée d'îlots, parmi lesquels celui qui portait le nom de Bélitchy, « île aux écureuils », avec ses falaises, sa petite montagne, ses torrents… Elle abritait deux destins qui s'opposaient à tout ce que convoitaient les humains.

La nouveauté de cette vie était telle que, maladroitement, je demandai à Gartsev :

– Mais sur cette île… vous faisiez… quoi ?

Et sa voix, en écho de ce que lui-même avait, un jour, entendu, résonna avec une simplicité rêveuse :

– Que faisions-nous là-bas ? Nous y vivions…

Il dut se rendre compte que ce mot usé était privé de toute sa valeur. Son récit reprit : leurs débuts dans cet archipel inhabité, le premier hiver, le plus dur car ils avaient à peine commencé à s'installer dans la taïga insulaire… Les tempêtes qui, dès le mois de novembre, solidifiaient les vagues, échafaudant autour de l'île une forteresse de glaces. Les brouillards qui les isolaient, tout en les protégeant d'une attaque qui serait venue du continent. Des courants marins d'une force extrême, des lames qui brisaient les navires et les précipitaient dans le gouffre de la mer d'Okhotsk…

Je l'écoutais avec la fascination qu'aurait éprouvée tout garçon de mon âge. La mer soudée par la banquise bordière qui arrimait l'archipel des Chantars au littoral, formant un désert blanc que les bêtes traversaient en arrivant sur l'île. La saison sans neige qui commençait au mois de juin et se terminait en août. Les provisions qu'il fallait accumuler, en ces quelques semaines de tiédeur, pour affronter une interminable hibernation. Et, en mer, la navigation sous la menace mortelle d'un « souloï », comme on appelait, dans cette contrée, l'écran d'eau s'élevant soudain de plusieurs mètres au croisement des courants opposés… Je retins aussi la venue, tout près de l'île Bélitchy, des baleines grises qui se réfugiaient dans ses baies, fuyant les harpons.

J'étais trop jeune pour comprendre la véritable signification de leur exil. Dans son récit, Gartsev glissa des réflexions dont je ne pouvais pas saisir le sens et qui allaient garder leur mystère, tel un code en attente de déchiffrement. Pour l'heure, il voulait surtout me faire mesurer l'étrangeté de leur présence dans l'archipel.

– Autour des Chantars existe une anomalie magnétique. L'aiguille d'une boussole tourne en permanence et ne peut donc jamais indiquer le nord correctement. Comment veux-tu que les hommes du continent nous comprennent ?

Le matin de notre troisième journée de marche, une longue montée nous guida vers une forêt moins dense : j'étais en train de gravir la piste que, tant d'années auparavant, Gartsev avait parcourue en poursuivant Elkan…

Le sentier se coupa brusquement, nous venions d'atteindre le sommet exposé en promontoire. Ce que je voyais échappait au langage – trop de vide emplissait cet infini mat, brumeux, sans repères. Le nom de Mirovia s'imposa à ma pensée, oui, cet océan préhistorique entourant le seul continent existant, le fameux Rodinia dont parlaient nos livres de géographie…

La voix de Gartsev me tira de ma rêverie.

– Regarde par là ! La Grande Chantar est au milieu, la Petite à gauche. Et, en face d'elle, c'est la Bélitchy, la nôtre…

Je ne distinguais pas vraiment les contours des îles, juste des linéaments flous qui ondulaient au-dessus de la mer et qu'on aurait pu prendre pour un étirement de nuages. Gartsev sortit de sa poche une boussole, me la tendit. J'essayai de fixer le nord mais l'aiguille tournaillait, tremblait, se figeait, recommençait sa danse sans respecter aucune contrainte magnétique.

Je lui rendis cet instrument inutile et restai indécis, comme lui d'ailleurs, car c'était le moment de nous quitter, ce qui me paraissait à la fois logique et invraisemblable.

Gartsev sourit et je vis palpiter doucement sur son cou, tout près de la carotide, la marque d'une cicatrice. Son « araignée »…

– Bon, tu vas rentrer en longeant la côte, me dit-il sur un ton qui forçait l'insouciance. Ça va être un peu plus long mais au moins tu ne risques pas de t'égarer. Surtout, ne t'éloigne pas du littoral. Et puis… sache que je te fais confiance. Je sais que tu ne diras rien à personne. Allez, bonne chance…

Il me fourra dans les mains le corps plat d'un poisson séché, se chargea de son barda, partit. Comme je ne bougeais pas, il se retourna, me présentant un vague salut militaire. Nous passâmes quelques secondes, l'un face à l'autre, à chercher un mot ou un geste qui eût évité de rendre cette séparation définitive. Enfin, Gartsev lança en criant, comme si la distance entre nous avait déjà été bien plus grande :

— Si tu reviens un jour, allume ici trois feux, oui, en triangle ! Je les verrai et je viendrai te chercher !

Sur le chemin du retour, je me rappelai ce fragment dans son récit : Elkan l'avait attendu pendant dix jours, se disant qu'il en mettrait cinq pour atteindre le cantonnement et cinq autres pour revenir. Au cas où il déciderait de revenir… « Et si j'avais eu quelques heures de retard ? » lui demanda-t-il, bien plus tard. Elle répondit avec fermeté : « Je serais partie vers l'archipel, sans toi… Mais chaque soir, j'aurais allumé les feux… »

Leur vie dans l'archipel des Chantars allait tracer en moi une esquisse d'univers qui s'étofferait, d'année en année, à la manière du lent développement d'une vue photographique.

Dans ma jeunesse, je me rappelais surtout un canevas de dangers et d'épreuves que les deux exilés avaient endurés. Les poursuites à travers la taïga, les coups de fusil, la maison du chercheur d'or où veillait un mort... Oui, un livre d'aventures, un western. Plus tard, j'ai cru y discerner une vérité bien plus vaste et plus secrète, celle qui me laissa deviner le sens caché de ces mots si simples : «Nous y vivions...»

Au printemps 53, leur premier printemps sur l'île, quand le froid cessa d'écorcher les poumons à chaque inspiration, ils pensèrent à la traque qu'on allait relancer contre eux. Leur double évasion ne pouvait pas rester impunie... Ils aménagèrent des caches, construisirent un bateau pour pouvoir se réfugier, en cas de danger, sur la Petite Chantar, couverte de forêts plus épaisses.

Au mois de juin, la mer commença à se libérer des glaces. En juillet, la navigation devint possible et, chaque jour, ils s'attendaient à voir des canots à moteur surgir dans le détroit de Lindholm, foncer vers la Bélitchy... Ils n'allumaient le feu qu'à l'abri, montaient la garde à tour de rôle – comme pendant les poursuites menées par Louskass, disaient-ils.

L'été s'estompait, la neige allait revenir, mais aucun signe ne trahissait une quelconque attaque en préparation. Pas d'hélicoptères volant en rase-mottes, pas d'embarcations sur la mer.

« À croire que la guerre nucléaire a eu lieu, pensait Gartsev. Et qu'il n'y a plus aucun survivant... Ou bien qu'un très grand changement s'est produit dans ce pays. »

Il n'avait pas tout à fait tort.

À la fin du mois d'août, ils risquèrent une expédition, débarquant sur le continent, puis avançant jusqu'au village de Tougour. Gartsev resta dans la taïga (un homme est toujours plus repérable, pensaient-ils), Elkan alla se renseigner et eut la chance de croiser une congénère – une Néguidale âgée, d'un clan installé sur les rives de l'Amgoun. Elles parlèrent leur langue et c'est dans ce dialecte toungouze, commun à quelques centaines de personnes, que l'ahurissante nouvelle fut dite, un événement connu de la planète tout entière : Staline était mort !

Son décès, en mars, avait provoqué une onde de choc qui mettrait des années à dérouler la chaîne de ses conséquences. Mais déjà, dès les premiers jours de l'été, les camps s'étaient entrouverts. Un flot de prisonniers avait déferlé, pressés de quitter la Sibérie. C'étaient surtout les droit-commun qui avaient été relâchés et qui, ivres de liberté, souvent après vingt ans de bagne, ne faisaient pas de quartier. Pillages, viols, meurtres – les villes se barricadaient, l'armée tirait dans le tas, les mitrailleuses fauchaient cette horde qui enfonçait les barrages, se jetait à mains nues contre les baïonnettes, et progressait jour et nuit vers la lumière des lieux habités…

Ce n'était pas le moment, pour les autorités, de se préoccuper de deux fuyards sur leur îlot sauvage, pensa Elkan.

Elle transmit la nouvelle à Gartsev. Lui, pendant son attente, avait remarqué le passage d'un camion transportant des soldats sur le chemin de Tougour… Ils décidèrent de rentrer par des pistes forestières. En faisant une halte, devant un gué, ils découvrirent ce carnage. Plusieurs hommes et femmes gisaient là – des prisonniers libérés qu'on avait sans doute mitraillés en tirant d'un hélicoptère, aucune douille ne traînait au sol.

C'est ainsi qu'Elkan et Gartsev récupérèrent des papiers d'identité dont les photos leur ressemblaient plus ou moins.

Ils venaient à peine de quitter les lieux quand le bruit d'un rotor se rapprocha, l'ombre d'un appareil passa au-dessus des arbres, comme si le pilote avait voulu vérifier le résultat de l'exécution.

Sur leur lancée vers l'océan, ils marchaient vite, se comprenant sans mots, n'ayant pas de temps à perdre... Dans son récit, Gartsev employa, je m'en souviens, exactement cette expression : « Nous n'avions pas de temps à perdre », et je crus qu'il parlait de contraintes pratiques – un barrage militaire à éviter, la marée qui empêchait la navigation...

J'ai dû décanter, des années durant, mes souvenirs avant de déchiffrer dans cette formule banale un choix qui engageait toute leur vie et qui me troublait par sa force radicale : ils n'avaient pas de temps à perdre dans ce monde-là !

Non, Gartsev ne s'était jamais plaint de la cruauté du régime ni des absurdités guerrières de l'Histoire, lui qui avait autrefois étudié la « légitimité de la violence révolutionnaire ». En marchant aux côtés d'Elkan, il pensait à ce vaste jeu qui mêlait un hélicoptère suspendu au-dessus des prisonniers assassinés, et l'abri numéro dix-neuf où il avait failli étouffer en singeant la guerre atomique, et les deux vraies bombes qui avaient irradié des millions d'innocents au Japon, et le capitaine Louskass qui tirait dans la nuque des condamnés et qui hurlait dans son sommeil en revoyant la scène, et ce « pantin », en chacun de nous, qui excitait nos peurs, nos désirs, nos égoïsmes…

« Et cette femme, Elkan, se disait Gartsev, que j'ai voulu tuer pour mériter un rôle dans la bouffonnerie du monde où, depuis toujours, les hommes vivent en se haïssant. »

Plus qu'à la peur d'être arrêtés, jetés dans un camp, leur exil tenait au refus de participer à ces jeux.

Dans ma jeunesse, je revenais souvent, en pensée, vers les ermites des Chantars. À un moment, leur exil m'a paru incompréhensible, effrayant même. Se couper de la société, s'enfermer au milieu des glaces, sur un îlot entouré d'un océan en furie! Refuser l'excitant spectacle de la vie, son pathos, ses rivalités! J'avais, alors, l'âge où la multiplicité éblouit et la variété des postures intoxique. Où changer de rôle donne l'illusion de la liberté. Où dupliquer sa personne en mille relations est perçu comme une richesse d'existence.

J'avais l'impression de vivre tout ce que Gartsev et Elkan ne connaîtraient jamais.

Et puis, sans se soucier de mon amour-propre, l'équation s'est retournée : chaque jour m'enlevait un peu plus la chance de vivre et de comprendre ce qu'ils avaient vécu et compris.

Non, il ne s'agissait pas du nombre d'«expériences», valeur si prisée par la modernité. Ni d'une sagesse fumeuse, fruit de l'une de ces expériences exotiques. Leur quotidien, rude et simple, ne visait aucun but édifiant. Il leur fallait trouver du bon mica pour les fenêtres de leur maison et, à l'arrivée des froids les plus âpres, installer le « double vitrage », découpé dans des plaques de glace. Quand les cartouches manquaient, ils chassaient à l'arc et Gartsev finit par préférer ce tir insonore. À marée basse, les poissons piégés au milieu des rochers étaient faciles à prendre et la forêt, à l'automne, débordait de baies. Elkan préparait ce qui leur servait de pain : pâtés composés de graminées, de champignons séchés, de plantules de conifères...

Je me souviens qu'en parlant de cette vie Gartsev me confia, avec un étonnement souriant : « Je n'aurais jamais cru que l'homme avait besoin de si peu. »

Avec l'effacement de l'époque stalinienne, la situation changea. Gartsev se rendait désormais sur le continent, à Tougour où les gens le prenaient pour un garde-chasse, descendait même à Nikolaïevsk. Pourtant, de chacun de ces rares voyages, il revenait aux Chantars « comme un somnambule qui se réveille », disait-il. Et les nouvelles qui leur parvenaient de l'extérieur prouvaient que les hommes restaient fidèles à leurs coutumes : depuis la guerre de Corée, on avait fabriqué assez de bombes pour carboniser la planète une centaine de fois et, en attendant, on calcinait les villages et leurs habitants au napalm, on transformait les forêts en déserts et les océans en dépotoirs. Les journaux achetés à Nikolaïevsk parlaient de la guerre au Vietnam, de la pollution, des essais atomiques, d'un combinat de cellulose, sur le Baïkal, qui avait dépassé son plan quinquennal, des quatre milliards qu'allait atteindre la population de la Terre...

Ces maux planétaires n'excluaient pas un mal bien plus modeste, presque pardonnable dans sa banalité humaine. Comme chez cet homme, au volant d'un tout-terrain. Gartsev le rencontra, un matin, à la sortie de Tougour. «Je travaille à la Direction des forêts, déclara ce petit chef. Je connais tous les gardes-chasses. Mais toi, je ne t'ai jamais croisé!» Et il le dévisagea d'un air rogue, avec une hostilité d'inquisiteur.

Reprenant la route, Gartsev se souvint de Louskass, de Ratinsky... La même nature humaine, faite de méfiance, d'agressivité, de perfidie. «Staline est mort. Presque vingt ans ont passé depuis. Et ce directeur de sapins cherche encore à débusquer un ennemi du peuple...»

Ce jour-là, à cause de l'heure de la marée, Gartsev quitta le continent déjà dans le crépuscule. Sa barque sous une voile carrée résista bien à la houle, glissa à l'abri de l'îlot du Sud, cingla vers la Bélitchy. À travers la brume qui enveloppait l'archipel, il distingua les trois points lumineux. Un triangle de feux. « La constellation de notre ciel à nous », pensa-t-il avec une tendresse qui n'avait pas de nom dans le monde qu'il venait de quitter.

Dans leur exil me fascinait surtout le défi désespéré qu'ils avaient lancé au destin. La belle démence de leur évasion...

Il m'a fallu de longues années pour comprendre : non, c'est notre vie à nous qui était démente ! Déformée par une haine inusable et la violence devenue un art de vivre, embourbée dans les mensonges pieux et l'obscène vérité des guerres. Je me souviens d'en avoir parlé, un jour, à une amie américaine, pacifiste convaincue. Elle rétorqua en plaidant la nécessité des «bombardements humanitaires»... J'ai oublié s'il s'agissait, alors, de Belgrade ou de Bagdad. Curieusement, cela me rappela le sujet de la thèse qu'écrivait jadis Pavel Gartsev, oui, la «légitimité de la violence révolutionnaire»...

Ce n'étaient pas les deux fugitifs mais l'humanité elle-même qui s'égarait dans une évasion suicidaire.

Cette intuition s'est effacée en moi avec l'âge, avec l'inévitable acceptation des règles du jeu. Les rares échos de mémoire qui remontaient encore du récit nocturne de Gartsev se modulaient en regrets, en reproches : une autre vie était possible, Elkan et Gartsev l'avaient démontré avec leurs humbles moyens de proscrits, mais personne ne le saurait et le monde continuerait sa dérive, s'éloignant de plus en plus de l'archipel des Chantars.

Je suis revenu en Extrême-Orient en août 2003, quarante ans après ma rencontre avec Pavel Gartsev. Un journal russe annonçait la construction d'une centrale marémotrice dans le golfe de Tougour... C'était donc la dernière chance de revoir le passé encore plus ou moins intact.

J'avais peu d'espoir de trouver en vie les exilés des Chantars. Le climat extrême et les privations ne prédisposaient pas à une longévité particulière.

En arrivant à Tougour, j'ai vu que le village avait été épargné par les soubresauts politiques, réduits ici à un changement d'enseignes : l'adjectif « soviétique » remplacé par « russe »...

La taillanderie, mon gîte d'autrefois, semblait même ragaillardie et, repeinte, faisait office de garage pour quatre-quatre. Et surtout, aucun chantier n'étalait ses ravages.

Un soleil pâle, l'infini de l'étendue marine et, à l'arrière, l'attente éternelle de la taïga. Le temps aboli.

Sacha, vingt-sept ans, chez qui je loue une chambre, vit dans une grande isba, à l'écart du village, avec sa femme et leurs deux fils. L'épouse, une Nivkh, un des peuples autochtones, doit ressembler à Elkan, me dis-je : un beau visage aux traits fins, aux yeux bridés, aux pommettes tannées par le soleil et le vent. Le mari a manifestement des origines mêlées. Grande taille, inhabituelle chez les natifs de la région, la fente étroite des yeux très foncés, une apparence mongole et, par contraste, cette chevelure claire, roussâtre.

Se sentant observé, il m'en donne l'explication, à la fois gêné de commenter son physique et fier de m'initier aux secrets du pays.

– Ici, il y en a qui ont du sang scandinave. Comme moi...

– Scandinave ?

Imaginant les onze mille kilomètres entre la Suède et l'Extrême-Orient, je scrute la physionomie de mon hôte : ce Sibérien, un descendant des Vikings ?

Il sourit, content de m'épater.

– Vous connaissez Lindholm ? Le navigateur Otto Lindholm. C'était un Finlandais qui a exploré nos côtes et a fini par s'installer à Vladivostok. Ses marins l'ont suivi et se sont mariés avec les femmes de chez nous… Lindholm était célèbre avant la Révolution, il a beaucoup fait pour la flotte russe et le tsar Nicolas II le considérait comme son ami… D'ailleurs, le détroit entre le continent et l'archipel des Chantars porte son nom…

Sacha continue à me conter les curiosités de l'histoire locale mais je ne pense plus qu'à l'interroger sur l'essentiel : pourrait-il me conduire sur l'île Bélitchy ? Et sait-il si Gartsev et Elkan sont encore là ?

Puisqu'il vient d'évoquer l'archipel, j'enchaîne, un peu hâtivement :

— Mais… c'est possible de le traverser, ce détroit ? Pour aller… je ne sais pas… sur la Bélitchy, par exemple ?

À quarante ans de distance, je sens en moi la crainte de trahir le secret des exilés.

Sacha détourne le regard et s'adresse à ses fils qui déroulent sur le plancher la corde emmêlée autour d'une ancre :

— Allez, les gars, vous terminerez demain. Il est temps de vous coucher.

Son épouse se lève, pousse les enfants vers la sortie, quitte la pièce. Notre sujet mérite donc une conversation d'homme à homme.

— Par la mer, la Grande Chantar est à plus de cent kilomètres. Ça fait un bout de chemin… Dès qu'on sort du golfe de Tougour, les courants vous entraînent pire qu'un remorqueur. La Petite Chantar est plus proche mais entre cette île et la Bélitchy il y a un passage très dangereux où l'on risque sa tête. Et puis les rochers, il y en a plein à la surface – le temps d'allumer une clope et, ça y est, on a la coque défoncée! Après, pour regagner le continent, mieux vaut ne pas en rêver. Il n'existe là aucun réseau pour les portables. Les ours arriveront avant les secours…

Quitter Tougour sans avoir vu les Chantars me paraît impensable. En refusant d'y aller, Sacha voudrait juste peut-être négocier une rétribution. J'hésite, craignant de le blesser :

– Écoutez… Je comprends qu'ici, l'essence ne doit pas être facile à trouver… Je payerai ce qu'il faut. Et si on a besoin d'un bakchich pour le chef de l'administration, on s'arrangera…

Il se redresse sur sa chaise, mine rembrunie. Je viens de commettre un mélange des genres : le voyage aux Chantars se décide bien au-delà des contingences matérielles.

Sa voix s'éloigne de moi et je crois, une seconde, qu'il va couper court à notre discussion, me souhaitant bonne nuit.

– L'archipel n'est pas une destination comme une autre… Il faut bien calculer les marées et le vent du nord-ouest, c'est le pire, celui qui vient des montagnes de Yakoutie…

Je me retiens d'intervenir pour ne pas lui forcer la main.

– Mais, au fait… pourquoi voulez-vous aller aux Chantars ? demande-t-il avec une étrange contrainte dans la voix.

Lui raconter que je suis un ethnologue passionné par les populations autochtones de l'Extrême-Orient et, en particulier, par les Néguidales ? Ce mensonge, je le sais, condamnerait mon projet. D'autant que le sens de l'exil qu'ont vécu Gartsev et Elkan n'avait rien à voir avec l'exotisme folklorique des chamans et autres fêtes de l'Ours… Je décide de lui dire la vérité.

– C'est que… J'ai connu les deux personnes qui habitaient sur l'île Bélitchy…

Les paroles de Sacha résonnent en écho :

– Moi aussi, je les ai connues…

Me rendant compte que je n'ai jamais vu Elkan, je me reprends, parlant de ma rencontre avec Gartsev dans la taïga, de notre conversation nocturne…

Je constate que, pour un jeune homme, ces faits lointains sont déjà une légende. Et aussi un gage de confiance, un aveu d'initiés.

Poussés par ces souvenirs partagés, nous allons dehors, vers la mer, comme si le passé devait absolument s'incarner dans cette soirée d'août. La lumière découpe, à l'ouest, l'ombre des monts, les créneaux violets de la taïga. Sacha semble chercher ses mots et je comprends qu'il n'a pas eu encore l'occasion de faire ce récit.

– Quand l'URSS a éclaté, j'avais quatorze ans et je vivais avec mes parents à Nikolaïevsk. La déglingue là-bas a été plus violente qu'à Moscou. Toutes les entreprises ont fermé. On survivait en traficotant, chacun dans son coin. Les gens buvaient et se suicidaient de désespoir. Mes parents ont résisté un moment, puis ils ont fait comme les autres : l'alcool, les petites combines pour s'acheter une bouteille de plus. Un matin, on les a retrouvés morts de froid à un arrêt de bus. Je vivais déjà à la rue, dans une bande qui revendait de la drogue. La came, j'y ai goûté dès cet âge et je n'aurais pas pu décrocher si, un jour... En fait, dans un magasin, j'ai repéré un type qui ressemblait à un chasseur de zibelines ou un chercheur d'or. J'ai piqué son sac, couru et je n'ai même pas compris comment, tout à coup, il s'est retrouvé non pas derrière moi mais devant. Une astuce de trappeur. Il m'a attrapé au collet et m'a dit très calmement : « Ou bien tu viens avec moi ou bien je te tue. » Je n'avais pas vraiment le choix et, de toute façon, dormir dans la taïga ou dans une cave humide comme je le faisais depuis des semaines, la différence n'était pas énorme... Par hélicoptère, nous sommes allés à Tougour, puis trois jours de marche dans la forêt et, enfin, la traversée en barque, jusqu'à la Bélitchy... J'y ai passé neuf mois.

Chaque soir, Gartsev me donnait des cours dans toutes les matières que j'avais séchées à l'école. Elkan m'a aidé à connaître la taïga dont je m'étais toujours méfié, comme tout citadin. Au début de l'été suivant, Gartsev m'a ramené à Nikolaïevsk, m'a fait admettre dans un internat où j'ai pu, grâce à ses leçons, sauter une classe. Plus tard, à l'université, à Khabarovsk, j'avais l'impression de ne pouvoir rien apprendre au-delà de ce que l'archipel m'avait révélé. J'ai quitté la fac et je suis venu m'installer ici, à Tougour – on cherchait justement un garde-chasse. Une ou deux fois, chaque été, je remontais aux Chantars. Parfois Gartsev et Elkan venaient passer une nuit chez nous, quand un gros temps les bloquait sur le continent. Mais je sentais que leur vraie vie était là-bas...

Il se tait. On n'entend plus que le froissement des vagues qui, en biais, lissent le sable, et aussi les rappels fugaces que lancent les oiseaux entre la dernière clarté de l'océan et la taïga infusée d'obscurité. Bien sûr, j'ai envie de lui demander si le couple vit toujours aux Chantars, mais son silence est trop chargé de mots informulés. Je préfère revenir vers le passé.

– Ils devaient se battre pour survivre dans de pareilles conditions, non ?

Avec un sourire inattendu, Sacha reprend son récit :

– À Bélitchy, il y a une colline de plus de quatre cents mètres de hauteur. Gartsev avait monté là une hélice, une dynamo et, comme le vent ne manque jamais sur les îles, ils disposaient d'un peu d'électricité, de quoi allumer deux ampoules. C'est grâce à ce moulin que je lisais le soir...

Il se met à parler plus rapidement – pressé, dirait-on, de remémorer tous les détails avant qu'ils ne s'estompent. Ce cordage, très solide, qu'Elkan confectionnait avec de longs thalles d'algues tressés et séchés... Leur maison en bois, « à double coque », comme disait Gartsev, car au lieu d'abandonner leur premier refuge, ils l'avaient entouré de galeries couvertes, l'enchâssant dans une maison plus grande, rendant cette habitation emboîtée invulnérable aux blizzards les plus féroces... Ce jeune phoque qu'ils avaient sauvé sous le nez des loups... Et les baleines grises qui venaient « siffler » à quelques pas de leur baie. Juchée sur un rocher, Elkan imitait leur respiration et même, pendant les nuits d'été, caressait le dos des baleineaux endormis...

Sacha rapporte tout cela en désordre, mélangeant des faits réels ou rêvés, laissant deviner que sa fougue de conteur cherche à retarder l'obligation de me dire le sort des exilés.

Soudain, sa parole bute, comme sur un obstacle : comment exprimer le mystère de leur vie ?

Dépité, il avance sur l'estran, donnant l'impression de vouloir se rapprocher de l'archipel perdu derrière la courbure de la mer.

– Le fin mot de l'histoire est simple. Eux qui avaient survécu aux persécutions sous Staline, ils n'auraient jamais pensé que le pire arriverait à présent, à notre époque libérale. Il y a deux ans, une compagnie russo-chinoise s'est mise en tête de lancer des croisières sur la mer d'Okhotsk, genre «Amusez-vous bien en regardant les volcans du Kamtchatka et la ville de Magadan, ex-capitale du Goulag». Une escale aux Chantars était prévue. Les organisateurs n'avaient que faire de deux vieux qui s'accrochaient à leur île. On a essayé de les déloger, en leur proposant un pécule. Mais la réponse était claire : pas de foules de touristes sur cette terre fragile. Une équipe de gros bras est venue une semaine plus tard, il y a eu une fusillade. J'étais à ce moment à Nikolaïevsk. Au retour, j'ai sauté dans mon bateau, j'ai foncé vers l'archipel…

Il inspire profondément, s'éclaircit la gorge et une corde vocale émet une note brisée.

– Leur maison avait été incendiée, leurs trois chiens abattus, et je n'ai pas retrouvé la barque de Gartsev. Leurs corps non plus. Jetés à la mer ou bien enterrés dans la taïga ? Je n'en sais rien… Mais…

Il toussote en comprimant de nouveau une sonorité peinée.

– Mais je savais que, malgré leur âge, Gartsev et Elkan n'étaient pas des gens à se laisser faire. On m'a raconté que les salauds qui les avaient attaqués étaient venus, après, dans l'infirmerie de Tougour pour se faire soigner des blessures par flèches. Non, le couple ne se serait pas fait tuer sans résister… Et puis Gartsev avait une autre barque, cachée dans une baie, à plusieurs kilomètres de leur maison. J'y suis allé…

Sa voix oscille dans une élévation émue.

– Le bateau n'y était plus ! Oui, ils ont pu se sauver, j'en suis sûr… Pour aller où ? Mais il y avait plein de possibilités. D'abord, dans l'archipel même. Il compte quinze îles, au moins. Bon, c'est vrai que, dans ce cas, ils se seraient manifestés, depuis longtemps. Ils seraient venus à Tougour, chez moi. Donc il est plus probable qu'ils ont quitté l'archipel et ont fait du cabotage, le long de la côte, vers l'ouest d'abord, puis en remontant vers le nord. On trouve par là des endroits complètement sauvages. Ou encore, avec le vent du sud, ils ont pu peut-être atteindre l'île de Saint-Jonas…

Il s'interrompt, s'assied sur un tronc d'arbre rejeté sur la rive, baisse la tête, conscient sans doute de l'invraisemblance de toutes ces variantes de sauvetage. Île de Saint-Jonas… Un bloc de rochers au milieu de cette mer glaciale – même un bateau puissant et bien équipé mettrait des semaines à la repérer. Une aiguille dans une botte de foin.

Sacha le sait, mais il veut à tout prix garder un espoir. C'est plus que la simple volonté de ne pas abandonner les deux bannis dans l'oubli et la mort. Un rêve, plutôt, qui l'aide à vivre : la pâleur d'un matin, une voile carrée, deux silhouettes dans un bateau, la lente approche d'une ligne côtière.

La nuit est tombée. Au-dessus des monts, une constellation semble frémir, me faisant penser aux feux disposés en triangle, en signe de reconnaissance...

Sacha se lève, tourne la tête à droite, à gauche, regarde le ciel. Sa voix est incertaine, comme s'il avait peur de ne pas pouvoir tenir sa promesse :

– Nous pouvons partir demain. Très tôt le matin. Vers trois heures et demie. Au moins, vous verrez la Bélitchy. Leur île...

Je reste éveillé, la mémoire traversée de reflets de plus en plus distincts. Un pêcheur à qui Gartsev et Elkan portent secours. Ils le soignent, le rapatrient sur le continent, se demandant s'il ne va pas dénoncer leur présence dans l'archipel. Le naufragé garde le secret et ils ne savent pas s'il s'agit de la fin d'une époque de délations obligées ou tout simplement de la probité d'un homme... Trois ans après, pendant un hiver particulièrement rude, il vient chez eux, parcourant une centaine de kilomètres à ski : « Je voulais voir si vous ne manquiez de rien... »

Un jour, une tempête de neige arrache leur toit, ils se réfugient dans leur « maison intérieure », le vieux cœur de leur habitation...

Et c'est dans ce refuge qu'ils parlent du passé. Non pas pour raviver les griefs contre leurs persécuteurs mais juste pour s'étonner des mille coïncidences que brasse la vie. En 1952, en pleine guerre de Corée, le réserviste Gartsev se retrouve dans un cantonnement où les soldats s'entraînent à subir une attaque atomique. À cause de ces manœuvres, la population autochtone des Néguidales a été déplacée, chassée de ses terres… Les gens se résignent, acceptent de rejoindre un kolkhoze. Une jeune femme, Elkan, le refuse, se rebelle, on l'envoie dans un camp. Pendant le transfert, elle s'évade et, la nuit, traversant le territoire du cantonnement, elle entend des cris qui résonnent – « sous mes pieds », racontera-t-elle plus tard à Gartsev. Elle voit un trou dans le sol et, sans savoir qu'il s'agit d'un conduit d'aération, enlève les mottes de terre qui l'ont bouché. L'abri numéro dix-neuf…

Ils se le rappellent en souriant. La tempête secoue la porte, fait sonner leurs vitres de mica sous des volées de neige. Les chiens dorment près du feu. Dans la théière s'infuse leur potion d'herbes et de plantules. Le silence de la nuit, quand le vent s'apaise, fait entendre des craquements sonores – les troncs des arbres éclatent sous la poussée de la sève gelée. « Donc, se dit Gartsev, il doit faire moins quarante-cinq, sinon moins cinquante… » Dans l'obscurité, il serre la main d'Elkan. Elle dort, sa longue chevelure noire brille dans un reflet de lune. « Nous allons y vivre », se souvient-il. Et il se rend compte que c'est ici, aux Chantars, qu'il a vraiment compris le sens de ce mot…

Et puis, il y a ce rocher sur une pointe de leur île. Quand, au printemps, le vent souffle du nord-ouest, l'océan se déchaîne de ce côté-là du cap, l'écume des vagues gèle dans l'air et lacère le visage de celui qui ose naviguer dans cet enfer de glace. En contournant la pointe, on pénètre dans une baie, protégée par de hautes falaises. Le soleil, le calme, une mer lisse, il y fait presque chaud, on dirait l'été. Elkan vient souvent ici attendre Gartsev, à son retour du continent... Ce lieu semble ignorer les rafales mais aussi la cruauté du monde. Et le temps.

Soudain, telle la revanche du réel, les paroles de Sacha me reviennent : les ermites des Chantars ont été tués. Ou bien – mince espoir – ils ont pu fuir sur un canot de quatre mètres de long à travers une mer qui, chaque année, engloutit des dizaines de bateaux. Même si cette ultime fuite avait réussi, quelle dérision ! Ils se sauvent en remontant vers les terres où se dressaient, autrefois, les miradors des camps...

Sacha me réveille vers trois heures du matin. Le noir derrière les fenêtres est compact, charbonneux, comme si la taïga avait, entre-temps, encerclé la maison. En buvant un thé très fort et très sucré, j'imagine notre voyage dans cette nuit de deuil, une cérémonie funèbre des adieux.

Cette impression me poursuit au début de notre course. Le bateau file dans le bruit monotone de ses deux moteurs hors-bord, Sacha se tait, le regard rivé sur la ligne sombre de la côte qui, à notre droite, se dresse dans une immobilité morne. J'essaye de percer l'obscurité, de distinguer les repères qui nous guident, mais les ténèbres du littoral dissimulent la frontière entre l'eau, le rivage et, plus loin, la forêt et les monts. Avant le départ, j'ai vu la carte : notre village se trouve au fond d'un golfe, un vaste fjord en fait, dont il nous faudra sortir, remontant sa côte sur une cinquantaine de kilomètres. Gartsev et Elkan, eux, la suivaient à pied, à travers la forêt, jusqu'à sa pointe la plus forjetée formant une péninsule. Après trois jours de marche dans la taïga, il leur suffisait de traverser le détroit de Lindholm, large seulement de six ou sept kilomètres.

– Dormez un petit coup, me conseille Sacha, on a encore deux bonnes heures avant que ça commence à s'éclairer un peu. Dès qu'on quittera le golfe, on ne pourra plus se reposer.

Je m'allonge sur une étroite banquette, face à son siège de pilote. La cabine est étroite, très basse de plafond et je ne vois rien qui ressemble à un appareil de transmission radio… Le sommeil me rattrape comme une caresse faite à un enfant : ne plus me soucier de rien, ne plus penser aux dangers, me fondre dans la vibration rassurante de la mécanique. Je sais que notre vitesse est autour de trente kilomètres par heure, je cherche à calculer le temps du trajet, je m'embrouille, m'assoupis.

La secousse se répercute dans mon corps et la trajectoire du bateau change, décrivant une esquive circulaire pour amortir la vague suivante. Je me redresse, le front contre la vitre de la cabine. Derrière les gerbes de gouttes se découvre une luminescence cendrée, sans la moindre distinction de reliefs, de teintes, de distances. Le ciel et l'océan unis dans la même grisaille d'étain. Une lamelle d'algue, collée à la vitre, s'agite, se débat et, enfin, s'envole, emportée par une rafale...

– On vient de quitter le golfe de Tougour, me crie Sacha à travers le bruit du moteur. Maintenant, ça va cogner !

Comme en réponse à ses paroles, une vague frappe de face, le bateau plonge, un torrent s'abat derrière la cabine, sur la partie ouverte, faisant pénétrer une coulée sous la porte. « Il faudra puiser ! » Sacha pousse d'un coup de pied vers moi un baquet en plastique. J'ouvre l'un des battants de la porte et, instinctivement, recule, ma main libre cherchant un appui.

Vu de l'intérieur, tout se confondait dans la même fluidité pâle. Dehors, cette unité éclate – la mer gonfle, explose, se chiffonne de crêtes d'écume, s'enfle dans un rapide mûrissement des masses d'eau qui exhibent leurs entrailles verdâtres, me fouettent de sel, entraînent le bateau dans un glissement oblique, lui faisant heurter une vague en fuite. Au-dessus de ce chaos, le ciel demeure d'une sérénité impassible, égale dans sa tonalité d'acier, un miroir mat qui reflète ce grain de poussière – notre bateau – perdu au milieu du néant. Le soleil ne s'est pas encore levé et cette clarté sans nuances est celle d'une planète inconnue, recouverte tout entière d'un océan des premiers âges...

Je parviens à rejeter l'eau qui ne cesse de se déverser derrière la cabine. Le vent chargé d'humidité m'aveugle, je dérape, me courbe, puise la coulée qui balaye le bateau d'un bord à l'autre. Une vague plus raide soulève la poupe – les hélices des moteurs, se retrouvant dans l'air, s'emballent avec une stridulation frénétique. Je m'accroupis pour ne pas tomber et c'est à ce moment que, ouvrant la porte, Sacha hurle :

– Rentrez vite ! C'est le souloï !

Dans la cabine, comme notre vitesse diminue soudainement, je trébuche, m'affale sur la banquette. Derrière la porte dont l'un des battants est resté coincé, je vois un mur liquide qui se dresse à bâbord, tout près du bateau. Une vague de quatre mètres qui semble statique, tel un écran le long duquel nous glissons, luttant contre un courant qu'aucune houle ne trahit. Le mur est presque transparent et son épaisseur de jade est illuminée par le soleil levant – j'ai même le temps d'apercevoir l'éclair argenté d'un poisson…

Sacha donne un coup de volant à droite, le bateau gîte, une puissante cascade se déverse à l'arrière. Nous ne progressons plus, tournant sur place sur une mer qui bout. « Souloï… », crie de nouveau Sacha et je capte dans son intonation moins d'inquiétude qu'auparavant. Il conduit à présent debout, passant sa tête dans la large trappe qu'il a ouverte dans le toit. Ses longues mèches rousses de « Scandinave » faseyent dans l'air salé.

Le vent commence à faiblir. Je me faufile dehors et ne reconnais pas la mer. Une frontière la coupe en deux : tumultueuse et foncée au loin, calme comme la surface d'un lac à l'endroit que nous traversons. Je me retourne vers l'avant et, dépassé, incrédule, tente de tout saisir d'un seul regard ébahi.

Une falaise de jaspe fauve nous surplombe, tel un navire. Les oiseaux rayent sa masse par la blancheur de leurs ailes. L'île est devant nous, bien visible avec sa forêt, sa montagne et son collier d'écueils à fleur d'eau que Sacha parvient à éviter, baissant encore la vitesse.

Nous débarquons dans une baie, tirons le bateau dans un renfoncement entre deux rochers et, chancelants, faisons nos premiers pas sur le rivage de la Bélitchy.

– Voilà… C'est leur pays…

Sacha le murmure comme s'il craignait que les mots ne déforment ce que nous voyons.

Je voudrais courir le long de la berge, faire le tour de l'île, traverser la forêt, oui, tout connaître, tout observer ! Sacha devine mon impatience, son visage se crispe et, se tournant vers le nord, il pointe son index sur un horizon encombré, trouble.

– Avec un vent comme aujourd'hui, on va être arrosés dans une heure…

Il me laisse au pied des rochers, retourne vers le bateau. L'une des hélices a eu les pales cassées en accrochant un écueil, il faudra la changer.

Le vent est à peine sensible sous la falaise, dont la pierre est déjà chauffée par le soleil. M'adossant contre la surface ébréchée, je n'ai plus envie de quitter cet endroit pour explorer les environs. Je devine que l'intimité des deux exilés doit à tout prix rester inviolée. Surtout après leur mort. Ou leur départ ? Je pense à la maison incendiée, aux vestiges d'une vie qui seront bientôt livrés à la curiosité flasheuse des croisiéristes.

Elkan et Gartsev… Que subsistera-t-il véritablement de leur présence sous ce ciel, sur cette île de douze kilomètres de long, dans un océan tantôt enragé tantôt figé par les glaces ? Sacha m'a parlé des rondins calcinés de leur refuge, de leurs barques disparues, de la dispersion des objets qui les aidaient à survivre... Rien de tout cela, donc ? Rien. Aucune trace !

J'essaye d'imaginer leur amour, leur tendresse. Mais cette reconstitution sentimentale, je le sais, ne dira jamais l'essentiel de ce qui les attachait l'un à l'autre. Au mieux, elle pourrait atténuer la douleur, la mienne, celle de Sacha.

Je ferme les yeux sous la luminosité réverbérée par l'eau. La mer remue doucement les menus galets du rivage... Elkan attendait ici l'apparition de la voile carrée. Arrivant sur l'extrémité du continent, Gartsev allumait trois feux et, si la mer était trop forte, ce triangle signalait, pendant plusieurs jours, son retour proche. Le soleil réapparaissait, l'océan se calmait et Elkan venait dans cette baie protégée par la falaise. Elle suivait dans l'air brumeux les lignes de la voile et, quand la barque accostait, ils comprenaient tous les deux que cet instant éclairé de jaspe carminé était le sens même de leur vie. De cette autre vie

La pluie se met à tomber, devançant les prévisions de Sacha. Une pluie dense, monotone et dont le rideau argenté apaise le vent, abaisse la houle.

Nous repartons sans tarder, craignant d'être rattrapés par la nuit. Sacha reste debout, la tête passée dans la trappe de la cabine, les mains presque immobiles sur le volant. Dans cette fixité, il ressemble vraiment à l'un de ses ancêtres vikings égarés dans ces mers d'Extrême-Orient plus lointaines que le Groenland ou l'Amérique… Je m'installe à l'arrière, pour regarder les îles qui s'effacent lentement dans le ruissellement terne de la pluie.

Et je ne me rends pas compte que, au lieu de s'engager dans le golfe de Tougour, Sacha oblique vers la gauche, vers la pointe de la péninsule.

Nous descendons sur la berge et, sans avoir besoin de nous mettre d'accord, ramassons des branchages, allumons trois feux face à l'île Bélitchy.

L'unique lettre qui m'est parvenue de Tougour se résumait en quelques lignes. Sacha écrivait qu'un pêcheur, contournant l'archipel juste avant l'arrivée des glaces, avait remarqué une voile carrée qui longeait la côte nord du détroit de Lindholm…

En lisant son compte rendu, si vibrant d'espoir et si peu réaliste, je me disais que l'apparition de ce voilier dans la brume lumineuse des Chantars était sans doute la plus belle trace qu'un amour pouvait laisser parmi les vivants.

Du même auteur

Au temps du fleuve Amour
Le Félin, 1994
et « Folio », n° 2885

La Fille d'un héros de l'Union soviétique
Robert Laffont, 1995
et « Folio », n° 2884

Le Testament français
prix Goncourt et prix Médicis
Mercure de France, 1995
et « Folio », n° 2934

Confession d'un porte-drapeau déchu
Belfond, 1992
et « Folio », n° 2883

Le Crime d'Olga Arbélina
Mercure de France, 1998
et « Folio », n° 3366

Requiem pour l'Est
Mercure de France, 2000
et « Folio », n° 3587

La Musique d'une vie
prix RTL-Lire
Seuil, 2001
et « Points », n° P982

Saint-Pétersbourg
(photographies de Ferrante Ferranti)
Le Chêne, 2002

La Terre et le Ciel de Jacques Dorme
Mercure de France, 2003
Le Rocher, 2006
et « Folio », n° 4096

La femme qui attendait
prix littéraire Prince-Pierre-de-Monaco 2005
Seuil, 2004
et « Points », n° P1282

Cette France qu'on oublie d'aimer
Flammarion, 2006
et « Points », n° P2337

L'Amour humain
Seuil, 2006
et « Points », n° P1779

Le Monde selon Gabriel
Mystère de Noël
Le Rocher, 2007

La Vie d'un homme inconnu
Seuil, 2009
et « Points », n° P2328

Le Livre des brèves amours éternelles
Seuil, 2011
et « Points », n° P2765

Une femme aimée
Seuil, 2013
et « Points », n° P3177

Le Pays du lieutenant Schreiber
prix littéraire de l'armée de Terre Erwan Bergot
Grasset, 2014
et « Points », n° P4019

RÉALISATION : IGS-CP À L'ISLE-D'ESPAGNAC
IMPRESSION : CPI FRANCE
DÉPÔT LÉGAL : AOÛT 2016. N° 132917 (135170)
Imprimé en France